Cynthia Stokes
Brown

BIG HISTORY, SMALL WORLD

From the Big Bang
to You

我们人类

大历史，小世界

从大爆炸到你

[美] 辛西娅·斯托克斯·布朗——著
徐彬　于秀秀　刘晓婷——译

中信出版集团 · 北京

图书在版编目（CIP）数据

大历史，小世界：从大爆炸到你 /（美）辛西娅·斯托克斯·布朗著；徐彬，于秀秀，刘晓婷译. -- 北京：中信出版社，2017.9（2017.11重印）

书名原文：Big History, Small World: From the Big Bang to You

ISBN 978-7-5086-7934-1

Ⅰ.①大… Ⅱ.①辛… ②徐… ③于… ④刘… Ⅲ.①世界史—通俗读物 Ⅳ.①K109

中国版本图书馆CIP数据核字（2017）第168066号

大历史，小世界：从大爆炸到你

著　　者：［美］辛西娅·斯托克斯·布朗
译　　者：徐　彬　于秀秀　刘晓婷
出版发行：中信出版集团股份有限公司
（北京市朝阳区惠新东街甲 4 号富盛大厦 2 座　邮编　100029）
承 印 者：山东鸿君杰文化发展有限公司

开　　本：880 mm×1230 mm　1/32　　印　　张：10.75　　字　　数：231千字
版　　次：2017年9月第1版　　印　　次：2017年11月第2次印刷
京权图字：01-2017-4954　　广告经营许可证：京朝工商广字第8087号
书　　号：ISBN 978-7-5086-7934-1
定　　价：49.00元

服务热线：400-600-8099
投稿邮箱：author@citicpub.com

以此纪念我的母亲，路易丝·伊丽莎白·巴斯特·斯托克斯（Louise Elizabeth Bast Stokes，1911—2002）

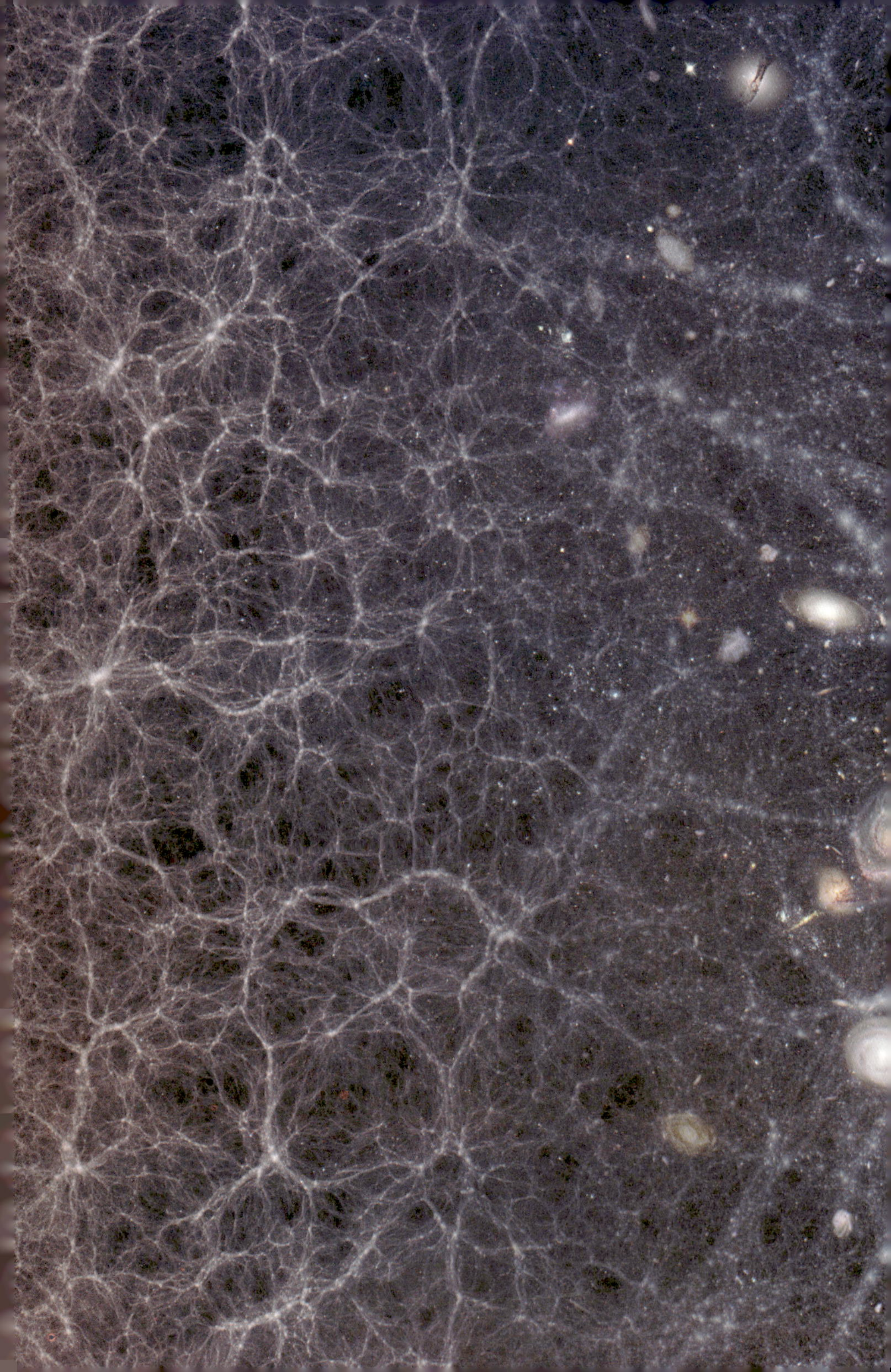

目 录

地图和图片说明

特别感谢加拿大人类学家 Felix Pharand-Deschenes 和非营利组织 Globaïa 授权在本书中使用其插图。

人物资料

图表

地图

插图

序言

我们生活的世界错综复杂，瞬息万变。比起其他的纪元和社会的人们，要在这个世界里找到出路，我们更需要地图的帮助，没有地图就会迷失方向，迷失自己。学校教育能为我们提供一些地图，让我们了解各自的国家和更广阔的世界。学校教育还教会我们一些技能，以便我们找到工作，并在社会中找到自己的位置。我们也参照许多其他类型的关于这个世界的地图——在书里，在跟朋友和家人的对话里，在网上或者在教堂里。然而，缺失的是什么呢？是展示所有这些地图之间联系的尝试，展示它们如何像一张巨大的万物拼图一样拼合在一起。这就像我们借助许多张城市街道地图来研究地球，却从来没有看到过展示了整个世界的地球仪。

“大历史”把许许多多不同的地图拼合成一张宏大的宇宙地图，它讲述的是跨度近 140 亿年的史诗故事，把我们带到时间和空间的开端。它运用多个不同领域的现代科学知识，解释我们身边的万物如何成为当下的样子：在巨大的爆炸后，宇宙如何从完全的虚无中诞生；早期宇宙中的首批恒星是如何形成的，在恒星濒死的炽热时刻，巨大的恒星如何锻造出行星和生物体形成所需的元素；生命是如何在至少一颗行星上出现的（或许还在很多行星上出现了），以及在几十亿年的时间里，生命是如何改变、多样化并且越来越复杂的；最终，在几百万不同形式的生命中，其中之一如何进化成人类的始祖、第一个人，以及那个人的后代又如何遍布全球，建立多样的社会、文化、宗教和政治体制，包括时至今日我们身处其中的处处充满活力的全球性社会……最重要的是，它讲述了一个简单的早期宇宙如何创造越来越有趣、越来越复杂的现象和生物，包括最终创造了我们！有了这样一幅地图，我们可以探寻，这个宇宙将去向哪儿，还可以探寻，我们在这一宏大历史中的位置。

这就是辛西娅·布朗要讲的故事。你所展开的这本书，就讲述了这个雄伟壮丽、清晰明了、简洁易懂又引人入胜的故事。辛西娅·布朗才是讲述大历史的大师，她要给大家解释的是，这个世界的所有不同的碎片，如何经历138亿年的历史，一步步地拼合到一起。可以说，这就是关于你和你的世界的故事，而且这个故事充满意想不到的波折和翻转，精彩纷呈、惊奇不断。

不过，大历史的故事远非完美——它是全世界的学者和科学家历经几个世纪拼接在一起的，而且很多细节在最近几十年才刚刚被确认。大历史的故事依然无法解释很多重要的现象，但是在不久的将来，它会越来越完善。什么是意识？为什么会发生宇宙大爆炸？地球上最早期的生命究竟是怎样形成的？……虽然还有很多不完美之处，但是你依然要认真对待这个故事，因为它是建立在极其丰富的、经过谨慎检验的信息基础之上的。而且这是一份由世界各地的学者——而不单单是一个地区的学者——共同构建起来的起源故事。作为第一个全球性起源的故事，它从很大程度来说是当今世界的故事，是“人类世”世界的故事。

在最后一章，辛西娅·布朗告诉大家，大历史的故事不仅丰富多彩、令人着迷，而且充满意义。你是否问过这些问题：宇宙有目的吗？生命有目的吗？甚至，你的一生有目的吗？如果问过，你需要从这个故事启程。仔细阅读，你会发现，虽然在精彩纷呈、惊奇不断的宇宙中，人类不过是一粒微小尘埃，但你依然能找到自己的意义。

这就是终极的“世界地图”，请享用！

大卫·克里斯蒂安
大历史学院主任
澳大利亚，悉尼，麦考瑞大学

前言

这是我写的第三本“大历史”题材的书了。写第一本书时，我一个人在楼下的办公室，试着把一沓沓的笔记整理成一个故事。但现在不同了，我与世界各地教大历史、写大历史和学习大历史的人建立了联系。

我的第一本大历史作品名为《大历史：从宇宙大爆炸至今》（*Big History: From the Big Bang to the Present*）。第二本是与大卫·克里斯蒂安和克雷格·本杰明一起完成的，书名是《大历史：虚无与万物之间》（*Big History: Between Nothing and Everything*）。

2007年，我的第一本大历史专著出版，差不多10年后，大历史在教学和研究领域已经变成一场全球性的“迷你思潮”。2010年，国际大历史协会（IBHA）诞生，这些活动有了自己的组织。（参见www.ibhanet.org）

在基础教育阶段，詹妮弗·摩根（Jennifer Morgan）在针对教师的专业培训方面探索出了一条道路。（参见www.deeptimejourney.org）这些培训尤其在蒙台梭利学校得到了应用，这些学校是以玛利亚·蒙台梭利20世纪40年代后期关于宇宙学教育的思想为基础建立的。

高中教育阶段，比尔·盖茨提供了资金，支持开发免费在线课程。一门课程面向所有人，可以自主选课、听课；另一门课程面向教师，可应用于高中课堂。（参见 www.bighistoryproject.com）目前，大约 1500 所学校开设了“大历史项目”所管理的大历史课程，全世界约有 5 万教师使用部分课程材料。

针对本科教育阶段，我们已经出版了 3 本教材。它们分别是：大卫·克里斯蒂安《时间地图：大历史入门》（*Maps of Time: An Introduction to Big History*），弗莱德·斯皮尔（Fred Spier）《大历史与人类的未来》（*Big History and the Future of Humanity*），以及我和克里斯蒂安、本杰明合著的《大历史：虚无与万物之间》。

大学阶段的课程在世界各地均有开设，尤其在韩国、澳大利亚、美国和荷兰。加利福尼亚州的多明尼克大学，要求所有大一新生必修两学期的大历史课程。全体教师运用自己的教学经验编写《大历史教学》（*Teaching Big History*）。理查德·西蒙（Richard Simon）、莫干·贝曼德（Mojgan Behmand）和托马斯·伯克（Thomas Burke）对其进行编辑加工。（参见 www.dominican.edu / academics/ big-history）

目前，研究生阶段的课程正在开发。几位勇于开拓的学生在阿姆斯特丹和悉尼参与博士项目。麦考瑞大学的大历史学院提供了 10 个名额的研究生奖学金。（参见 www.bighistory.mq.edu.au）

在所有这些大历史活动进行的同时，我想另外编写关于大历史的书。熟悉了大历史的各种版本，并且了解了其中运用的结构和呈现的方式等问题后，我希望重新思考大历史的故事。

然而，我最渴望做的，是面向青少年学生群体和大众读者，写一部简单明了的大历史。（1961 年 9 月到 1963 年 6 月，我在马里兰州巴尔的摩的东部高中，教了两年的十年级世界史课程。）相比之前的版本，我还想留出更多的篇幅讲述科学部分，这样做是为了解释起来更加明了，并更加充分地将人类置于合理的背景之中。

我希望这一版的大历史能够面向更广泛的读者群体——学生、教师和社会大众。我希望教师发现它的用处，将其作为大历史项目网上材料的有益补充。我希望学生能把它放进背包，摆上书架。我希望这本书易于翻译，这样世界各地的人们都能够了解138亿年宇宙、地球、生命和人类的史诗故事。

本书分为12章，非常便于用一个学期来讲授，如有需要，可以一周讲一章。第1章讨论何为科学方法，何为大历史。最后一章讨论人们理解大历史的不同方法，以及如何发现其中的意义。其余10个篇章讲述这一史诗故事的8个重要节点或临界点。其中，“生命的进化”这一临界点需要用两章来讲述，而关于未来的探讨放在了第11章。

虽然这本书不是以传统的教材形式编写的，但很便于用作教学。书后还附了词汇表，供学生和教师查阅关键词。每章都有对前沿知识的疑问，以及该章的内容如何直接应用于读者的建议，以便解答这个长期存在的疑惑：我为什么要学这个？另外，书中还介绍了12位在当下科学和人文领域大家感兴趣的学者。

传统的教材往往很枯燥，希望我这本书能有趣一些。我相信各位会享受本书，手不释卷。毕竟，这是有史以来讲述得最精彩纷呈的故事——氢气如何最终变为人类。（谢谢布莱安·司威姆。）

1

How Much Do We Know about the Universe?

第1章

关于宇宙，我们了解多少？

我们人类似乎具有一种与生俱来的生存本能，去发现自然界的模式规律，去理解我们的历史和周遭环境。在茫茫宇宙中，我们人类究竟处在什么位置呢？

什么是“大历史”？

讲述从宇宙大爆炸到现在的故事，这被称为“大历史”。（其他说法还有“宇宙历程”“进化史诗”或“宇宙进化”等。）讲述这样一个故事，就像爬到山巅，俯瞰山下的整个景色，或者跳进宇宙空间，观望整个地球。虽然无法看到大部分细节，但整个图景尽收眼底，而这在山谷中是看不到的。

从宇宙大爆炸到此时此刻，从古至今，大历史无所不包。大历史的讲述者被称为“大历史学家”。他们的知识和信息来自多个学术领域：从天文学、物理学（原子、恒星和星系）到化学（原子组合成元素）；讲到行星的形成，需要地质学的知识（岩石及其形成）；说到生命的起源，需要生物学的知识（生物体）；人类出现后，又得掌握人文学科的知识——考古学、人类学、历史学、哲学、社会学以及政治学。你会发现，大历史从最大的尺度上讲述历史，几乎涵盖了人类知识的大部分学科。为了运用这些知识搞明白过去发生的故事，大历史将科学和人文融为一体。

到了 20 世纪 70 年代后期和 80 年代，世界各地的很多大学教授都开始讲述整体历史。之所以能做到这一点，是因为那时他们已

大卫·克里斯蒂安

"大历史"的创始人

克里斯蒂安，历史系教授，待人热情开朗，"大历史"这个概念就是他提出的。

你觉得能想出"大历史"这个概念和这样一个称谓的人，会是什么样的人呢？或许是大学历史教授，古板沉闷，一身学究气，不上课的时候就埋在图书馆的书堆里？又或许是一个热情开朗、风趣幽默、爱说爱笑的人？

请看大卫·克里斯蒂安的照片，或许你能看出来他很爱表演，但他却是澳大利亚悉尼麦考瑞大学的历史系教授。

2013 年 11 月，克里斯蒂安做客美国电视真人秀节目《科尔伯特报告》。一开始，主持人斯蒂芬·科尔伯特（Stephen Colbert）就对他说："你想通过历史，将广泛范围内不同的事物连接起来，然后让大家了解宇宙从大爆炸到现在的整体历史。为什么不整点儿更宏大的东西呢？"克里斯蒂安会心一笑，答道："这个课程就是要教你整个时间的历史，展示一幅时间和空间的地图。要是能在这张地图上找到自己的位置，你就会察觉自身的意义——关于身处何地，将来会成为什么样子。"

克里斯蒂安不是土生土长的澳大利亚人，他出生在纽约的布鲁克林，那是他妈妈卡罗尔·凯西·塔特尔的故乡。父亲是英国人，名叫约翰·克里斯蒂安。二战时期，战争结束前一年，他的父亲在英国陆军担任陆军少校，与母亲在土耳其的伊兹密尔相识，后来结为连理。1946 年，为了迎接大卫的出生，母亲返回布鲁克林。

二战结束后，父亲在尼日利亚任职，是殖民地的官员，大卫在那里长大，7 岁时去了英国，在寄宿学校上学。大卫依然记得在尼日利亚乡下时，作为美国人的妈妈给他上的激动人心的启蒙课。要想搞明白父母二人如何相遇相识，一家人又是如何搬去了尼日利亚，他需要世界历史和地理方面的知识。

克里斯蒂安就读于英国的牛津大学，后来又去了加拿大的西安大略大学，在那儿结识了他的妻子，美籍塞尔维亚人夏蒂·兰德尔（Chardi Randall），她在缅因州波特兰附近长大。在西安大略大学的时候，克里斯蒂安沉迷于戏剧，梦想成为一名演员。后来他回到牛津大学，攻读俄国历史方向的博士学位。虽然他的论文是关于沙皇亚历山大一世的，但比起皇帝和皇后，他对日常生活的兴趣更浓厚些。

1975年，克里斯蒂安开始了人生第一份工作，在麦考瑞大学教俄国史。他撰写了几部俄国饮食历史方面的专著，其中一本写的是伏特加，书名是《活水》（*Living Water*）。但是他还是觉得学生需要了解的不应只是俄国或苏联的历史，他们需要了解人类整体的历史。为了探索人类起源，他将目光投向宇宙大爆炸时期。

1989年，麦考瑞大学历史系批准了克里斯蒂安给大一新生开设的课程，课程从大爆炸开始讲起。他请来其他系的教授，讲解各自学科领域的内容，这样他就学到了这些学科的基本知识，然后整合成一个故事。1991年，他创造了“大历史”这个概念。

2001年，克里斯蒂安开始在加利福尼亚州的圣迭戈州立大学任教。在那儿，他把“大历史”的概念传播到美国。2009年，他返回麦考瑞大学。2010年，他协助成立了国际大历史协会，并担任第一任主席。2013年，他在麦考瑞大学成立了大历史学院，负责大历史项目，现在也是麦考瑞大学大历史学院的负责人。

经积累了以实验和观察为基础的经验知识，并能加以应用。而测量物体年代的技术也得到了显著提高。到 1953 年，科学家已经确定地球的年龄为 45 亿年，同时也估算出宇宙的年龄，约为 100 亿至 200 亿年。到 20 世纪 70 年代，大多数科学家都接受了“板块构造论”——地壳的板块在地球内部半熔融的物质上漂浮移动。这一发现是了解地球历史的关键。

这些发现让整个故事的讲述成为可能。1989 年，澳大利亚悉尼麦考瑞大学的历史系教授大卫·克里斯蒂安，邀请学校内其他院系的专家每人开讲一部分，开始向学生呈现大历史的样貌。克里斯蒂安创造了“大历史”这个概念，还写了一篇有关大历史课程的文章，发表在《世界历史期刊》（*Journal of World History*）上。大历史的概念开始在全世界传播，一些教授也开始开设相似的课程。

何为经验知识？

大历史是以经验知识为基础的，而知识是通过形成概念或解释，然后对其加以证实才获得的。科学家通过实验和观察获得经验知识，历史学家通过验证既定事实获得经验知识。英语中的“经验”（empirical）一词源于希腊语，意思就是“经验、体验”。

经验知识是通过“科学方法”不断发展的。而且经验知识是现代世界知识的主要形式，全世界的科学家都采用这种方法。它以严格、系统地使用精心验证过的证据为基础，始于 17 世纪初。当时显微镜和望远镜的发明，拓宽了科学家的观察视野，而跨洋航运也使得全球贸易和探险成为可能。

一开始，科学家可能通过想象猜测。或者他们观察到了什么，然后提出一种想法来解释所观察到的现象。这种想法是通过想象、直觉和逻辑产生的，科学家将其称为“假说”。接下来，他们设计实验或者查找信息，来验证这种想法是否能够解释实验结果。如果不能，便予以否定；如果可以，就继续检验，或者查找新的信息来进一步验证是否与想法相符，直到最后“假说”成为具有很多证据支撑的“理论”。科学理论是指解释和阐释大量事实（数据）的观念。

对于某些主要的思想观念，在积累了足够多的证据的基础上，普通人往往称之为“事实”，而科学家仍然称之为“理论”，比如“自然选择”的进化论就是一例。科学家极其严谨，他们知道，有时新的证据能够推翻主流观念。这是科学方法的一部分。

科学家也是人，即使非常小心，也会出错，会产生偏见。这就是为何要使用科学方法的原因，通过长时间不断试验，才能够得出不带偏见的结论，大部分人才能接受和赞同。世界各地的科学家共同合作，分享许多不同视角的数据，对于自然和宇宙的运行机制，在人类思想的有限范围内，达成一个合理的共识。

举一个科学如何发挥作用的例子。这个例子是关于大陆漂移的，即“大陆运动”的想法最终如何成为完善的板块构造理论。1915 年，德国气象学家阿尔弗雷德·魏格纳（Alfred Wegener）提出了“大陆漂移”的假说。1925 年，在一次地质学会议上，那些人拿他的想法逗乐，他则静静地听着，抽着烟斗。魏格纳提出的证据是，南美洲的轮廓与非洲西部的轮廓刚好吻合，而分处大西洋两岸的两块大陆上，发现了相似的动植物的化石。但魏格纳无法解释，究竟是何种力量如此巨大，能够移动整片大陆。由于他解释不了运动的机制，而且他只是个气象学家，并不是地质学家，所以多数地质学家都不接受他的假说。1930 年，魏格纳在格陵兰岛监测气象时，死于意外。

直到第二次世界大战期间，关于大陆漂移的进一步证据才出现。美国海军司令官亨利·赫斯（Henry Hess）——他同时也是一位经验丰富的地质学家——使用一种叫作“声呐”的新工具，收集海底的轮廓信息。（声呐将声波传入水中，检测物体并测量物体之间的距离。）他发现海底并不平坦，这一点令他颇感意外。20 世纪 50 年代，进一步的研究确定，海底火山在大西洋中部和太平洋中部形成了高脊。1962 年，赫斯出版了一本书，描写海洋盆地的由来以及地壳如何在火山山脊的两侧移动——在火山山脊处，新的物质从地球中心喷发出来。

20 世纪 60 年代，研究者进一步发现了新的证据：距离山脊越近，洋底越年轻，而越往山脊两侧延伸，年代越久远。这一证据证明了海洋底部地壳移动的假说。接下来，科学家就可以把所有的知识整合到一起了：不只是大陆在移动，海洋地壳的所有板块也在移动，带动附近的大陆地壳移动。

这些板块都是地壳的组成部分，地壳分裂成几块。致使板块移动的力量，是洋脊涌出来的新物质造成的。在半熔融的地幔上方，新物质不断将旧的物质往两边推开。到了 20 世纪 70 年代，板块构造理论成为地质学领域的核心观念，或者说“范式”。

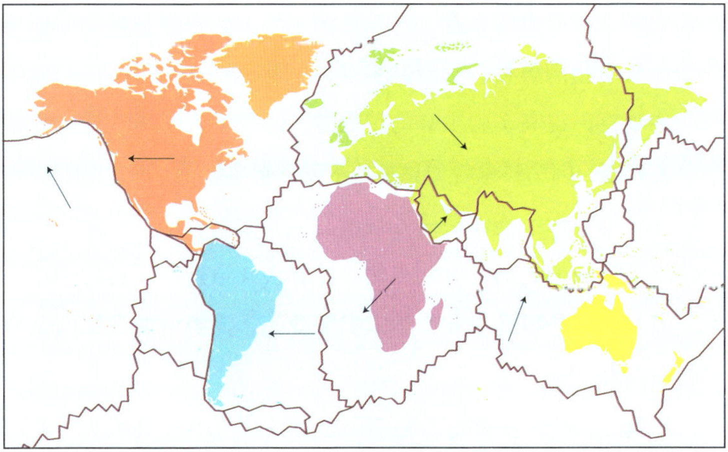

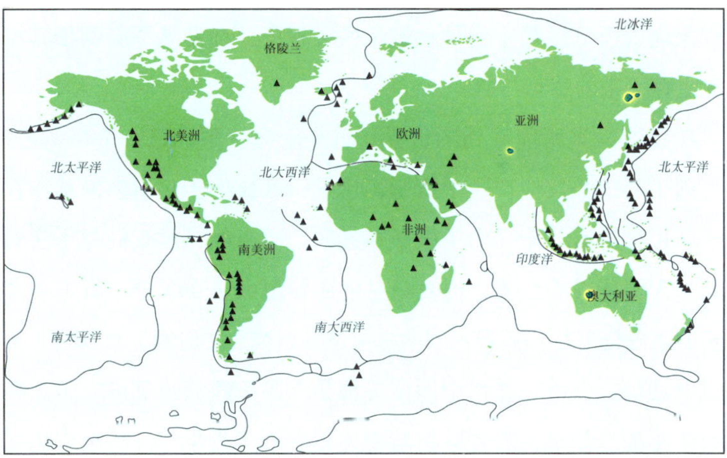

地球的板块构造

地壳像蛋壳一样裂成几片，我们将这些碎片称为“板块”。板块构造理论解释了大陆是如何移动的，为何会有火山喷发和地震，山脉又是如何形成的。箭头指示了板块运动的方向，三角形标注出两个板块相邻的地方是地震频发的地区。

受到这些故事的鼓舞，一些科学家认为，科学最终能够发现几乎所有事物的奥秘。对他们来说，要想达到这一目标，只需不断增加观察，提高实验工具的精确性，以及扩大观察的范围。科学令人兴奋，因为科学看似总是处于发现新事物的前沿。

你觉得科学家能够最终发现所有应知的事物吗？当前的知识爆炸将引领我们走向何方？当然，没有人知道这些问题的确切答案，但是有一些科学家和哲学家提醒我们，人类所能获知的东西可能是有限度的。

毕竟，人类的感知能力是有限的。鹰的视敏度优于人类2到3.6倍——具体视鹰的种类不同而有所不同。人类听不到的低频声音，大象能够听到。每个物种在进化的过程中，都发展了有利于其祖先生存下来的感知功能。

我们人类所能看到的世界，只是沧海一粟而已。举个例子，太阳中心的核反应产生中微子，这是一种比电子小得多的基本粒子。每秒钟有几十亿的中微子穿过我们的身体，但我们却无法看到。人类能够看到光，但光只是电磁辐射的一小部分，有很多波长的电磁辐射是我们看不到的——伽马射线、X射线、紫外线、无线电波等，这些在波谱中的波段都是肉眼无法捕捉到的。因为在数千年的时间里，看到它们与否并不影响人类生存。螨虫寄生在我们的睫毛上，细菌在我们的皮肤上爬来爬去……对于这些，看不到是个好事。

很明显，对于科学家来说，无论何时，虽然有非常精密的仪器，但大部分自然世界仍处于未检测或是无法接触的状态。关于人类积累的知识，有一个引人深思的比喻：人类知识貌似无边无际，但也只是未知的茫茫大海上漂浮的一座小岛而已。知识小岛面积越来越大，小岛的海岸线也就越来越复杂，但依然是漂浮在神秘的、未知的大海之上。[此比喻出自达特茅斯大学的巴西裔美国物理学家马塞洛·戈里瑟（Marcelo Gleiser）。]

似乎人类永远无法知道和理解关于现实的一切。对现实的理解随着人类自身状况的改变而不断改变，而发现新知识的兴奋是人类探索的驱动力。人类似乎具有一种与生俱来的生存本能，去发现自然界的模式规律，去理解我们的历史和周遭环境。关于人类在宇宙中的位置，我们已经获得令人惊喜的意识。这就是本书所要讲的——关于人类在宇宙中所处的位置，人类都有哪些了解。读完这些，读者朋友就能在这幅最为巨大的时空地图上，找到自己的位置了。

大历史的架构

每个故事都需要情节、主题、声音或是某个人讲述故事的方式。大历史是以证据为基础的真实故事，不是虚构的，但仍然需要这些特征将故事融合在一起。

说得简单点，故事的主题是万事万物，包括宇宙，都处于永恒的变化之中。目前来看，似乎宇宙中的某些地方正涌现出越来越多的结构，也越来越复杂。这与物理定律——热力学第二定律相违背。热力学第二定律表明，整体上来看，宇宙会越来越无序。（参见“第 3 章　临界点 2：星系和恒星”，了解更多热力学第二定律的知识。）

复杂性越来越高，意味着某时某刻有全新的事物出现，而新事物是无法通过之前存在的个体部分预见的。它更复杂，是因为它是通过能量流结合在一起的特定的结构，它的组成部分增加了。由于组成部分增多，需要更多能量维系，因此也会更脆弱些。

科学家把这种现象称为“出现”（emergence），但尚未完全理解它。20 世纪 80 年代后期，这一概念萌芽时还只是一种假说，现在已有若干证据支撑它。

假说是这样的：科学家认为，当部分结构以特定方式排列，条件恰到好处时，增加的能量在结构之间流动，新事物就会产生。科学家使用两个词语来描述“恰到好处”的条件：“最优条件”（Optimal conditions）和“金发女孩条件”（Goldilocks conditions），后者出自英国童话《金发女孩与三只熊》。金发女孩条件是指既不太烫也不太凉，既不太大也不太小，刚刚好的条件。

对于如何给这些转型时期，也就是新事物出现的时期命名，讲述这个宇宙故事的人尚未达成一致意见；对于究竟有多少个这样的时期，科学家们也未达成一致意见。他们也将其称为“过渡期”（transition）或者“转换期”（transformation）。有些故事的讲述者，比如天体物理学家埃里克·蔡森称其为“时代”（epoch）。还有一些人，比如荷兰生物化学家和社会学家弗莱德·斯皮尔，将其称为“朝代”（regime）。有些人则什么名字也不叫——只是在故事的讲述中，提到有这么一回事儿罢了。

假如深入学习大历史，就会学会对比这些不同的版本。在本书中，我将引用“临界点”（threshold）这个概念来指代即将有新事物出现的过渡期。大卫·克里斯蒂安在他的著作《时间地图》

中首次使用了这一词语。这个词只是用来在绵延不绝的时间长河中定位大事件的术语，转变有时会跨越几千年的时间。

当然，“临界点”这个词是一种比喻，远远超出了字面含义。在时间的长河中，并不存在真正的“临界点”。这个词无非是要传达出跨越一个“临界点”或“门槛”时的兴奋劲和新鲜劲——从此迈入新生活的大门，就像新婚夫妇迈入婚姻的殿堂，从此开始相互依偎的生活一样。这个比喻并不是要遏制新生事物的出现，如果你生活在中国，或许能够理解这个概念。中国传统文化中，“门槛”通常要高出地面约 15 ~ 20 厘米（6 ~ 8 英寸），这样，妖魔鬼怪就进不了大门，而人则需要迈过门槛，才能进入屋内。

而本书中，大历史的讲述将被分为 8 个临界点，每个临界点都有新事物的产生。或许还可以分得更详尽些。这 8 个临界点似乎代表了复杂性的重大飞跃，又不至于太烦琐而难以识记。这 8 个章节当中，留给人类的有 3 个。我在本书中使用的这 8 个临界点分别是：

1. 大爆炸的出现：宇宙起源
2. 恒星和星系的出现
3. 质量更大的化学元素的出现
4. 太阳系的出现
5. 生命的出现
6. 智人的出现
7. 农业（有机能量）的出现
8. 工业化（化石燃料能源）的出现

本书中，除了第 5 临界点“生命的进化”有两个章节之外，其余临界点各自为章。最后两章中，我会跟大家讨论今天的我们

埃里克·蔡森

宇宙进化的架构师

蔡森是一位敢于大胆尝试的天体物理学家，他估算过所有尺度下的复杂性总量。

以一个统一的模式讲述宇宙历史，你觉得这个点子是谁想出来的呢？站在如此大的一个视角上思考这个问题，都需要哪些学科的背景知识呢？没错，这个人就是天体物理学家埃里克·蔡森，他将物理学、天文学和生物学结合在一起，观察宇宙进化的模式。

蔡森1946年出生在马萨诸塞州的洛厄尔市，与大卫·克里斯蒂安同年。蔡森上的是天主教小学，这所小学也是他的妈妈和姥姥的母校——19世纪90年代，他姥姥从爱尔兰来到这里。高中毕业之后，蔡森就读于马萨诸塞州大学（洛厄尔校区），后来又到哈佛大学就读，并于1972年获得博士学位。他最初学习的是原子物理学，后来转向天体物理学。

蔡森先后任教于哈佛大学、约翰·霍普金斯大学和塔夫茨大学。上个世纪70年代他还在美国空军当过飞行员。蔡森将宇宙进化的知识整合起来写成一本书，于1981年出版，时年35岁。书名叫作《宇宙曙光：物质和生命的起源》（*Cosmos Dawn: The Origins of Matter and Life*）。他的妻子罗拉·蔡森负责绘制插图，向世人展示了一幅时间之箭以及一段分7个阶段穿越近140亿年的历程。从那时起，蔡森就开始讲解随着时间推移，复杂性增加的模式。

蔡森为人热情，热爱研究和教学，同时也希望给普通大众讲述宇宙进化的知识。他在塔夫茨大学（靠近波士顿）任教期间，担任校内赖特科学教育中心的主任。同时，他仍笔耕不辍，继续编写重要书籍。他编写了2本天文学教科书，分别于1993年和1995年出版，其中一本已更新到第 8 版，成为美国高校使用最广泛的天文学教科书。在研究宇宙进化的数学方面，经过 19 年的思考与探索之后，蔡森于 2001 年研究出测量复杂性的技术以及量化手段。他称之为“能量率密度”，并计算出了它的近似值，即“任何一个系统中每秒每克的能量流”。把所有的测量都放在同一个单位下，通过比较就能够得出，随着时间流动，复杂性和能量流的增长。蔡森在许多期刊上发表文章，向业内专家阐述他的观点。为方便大众理解，他又编写了一本书，叫作《进化史诗：宇宙的七个阶段》（*Epic of Evolution: Seven Ages of the Cosmos*，2006）。

大家可以通过访问哈佛大学蔡森的多媒体网站，了解更多更全面的信息，网站名称为“宇宙进化：从宇宙大爆炸到人类”（http://www.cfa.harvard.edu/~ejchaisson/cosmic_evolution/docs/splash.html），也可以搜索 2007 年他与德纳·贝里（Dana Berry）合作制作的电影《时间之箭》（*Arrow of Time*）。

弗莱德·斯皮尔

“大历史”理论家

斯皮尔最初是一位生物化学家，后来成为研究安第斯山脉村民的人类学家，这样的经历让他看到了大历史的结构。

弗莱德·斯皮尔，荷兰人，生物化学家、人类学家、历史学家。他从 1994 年开始研究大历史的结构，当时得知克里斯蒂安在澳大利亚开设的课程之后，他自己也开始编写一套课程。接下来的 12 年中，斯皮尔研究出一套大历史的基本模式，目前得以广泛应用，即大历史是以能量流和在特定有利环境下复杂性的增强和消亡为动力的。

弗莱德·斯皮尔出身于犹太家庭，父亲亨利·路易斯·斯皮尔（Henri Louis Spier）躲过了二战时对犹太人的屠杀，娶了一位新教徒妻子玛格丽塔·贾格巴·瓦拉文（Margaretha Jacoba Walraven）。他是一位物理化学家，其眼界之开阔非常人能及，在这一点上，弗莱德与他父亲非常相像。弗莱德的母亲是一位律师，对弗莱德的一生也产生了至关重要的影响。

16 岁时，弗莱德看到了阿波罗登月任务发回的照片，尤其是月球边缘地球升上天空的照片。眼前的一切让他很是惊讶，也让他深深着迷，埋藏在他心底深处的潜力被唤醒了，那种潜力是要改变自己所知的一切事物、所理解的一切思想的潜力。

弗莱德的祖父利瓦伊·约瑟夫·斯皮尔（Levi Joseph Spier）是一位成功的商人，经营高档布匹。祖母亨丽特·哈托格（Henriette Hartog）的娘家是更为成功的企业家族。这足够让孩子们享受最优质的教育，还让他的祖父有条件收藏关于世界历史和宗教的古书。二战时期，祖父病重去世，祖母也在战争结束后逝去。但一直到更晚一些，斯皮尔才翻看起祖父的藏书。

斯皮尔就读于阿姆斯特丹附近的莱顿大学，沿着父亲的科学足迹，他获得了生物化学硕士学位，他的专业是植物基因工程。

但斯皮尔内心关注的可不只是科学。他对环境问题也越来越关注，后来改变了自己的职业方向。他曾在一家环保农场工作，去过中东、非洲和印度，亲身感受这个世界。20 世纪 80 年代早期，环境研究还不是专门的学术专业。斯皮尔转向文化人类学，探索过去的人类是怎样应对生态问题的。秘鲁安第斯山区有一个相对传统的村庄，他对这个村子进行研究，希望那里的农民能够通过他们的宗教思想，传达出对于生态的想法。1992 年，他在阿姆斯特丹大学获得了文化人类学博士学位，撰写了 2 本有关秘鲁村庄的著作，颇受欢迎。

与此同时，斯皮尔一直等待的项目也于 1992 年启动。阿姆斯特丹大学的社会学教授约翰·古兹布鲁姆（Johan Goudsblom）到悉尼访学，接触到大卫·克里斯蒂安的大历史课程。古兹布鲁姆邀请斯皮尔在阿姆斯特丹大学也开一门这样的课。1994 年，第一堂课启动，此后，斯皮尔在埃因霍温大学和阿姆斯特丹大学等多所大学增加了大历史的课程。斯皮尔现在是阿姆斯特丹大学大历史课程的高级讲师，也是国际上公认的大历史领域（而非其他领域）的知名教授。

1995 年至 1996 年期间，斯皮尔以他的大历史课程为基础，编写了第一本关于大历史结构的书。斯皮尔在书中提出“穿过物质的能量流导致复杂性增加”，而这违背了第二定律。此时，斯皮尔对埃里克·蔡森的思想还一无所知。

1996 年，斯皮尔受邀到位于新墨西哥州圣菲市的圣菲研究所，那里的人们正在讨论与复杂性和自适应系统相关的最新思想。随后，斯皮尔系统地发展了他关于复杂性的想法：最优条件下，能量流越大，复杂性也随之增加。大历史学家们都应该感谢斯皮尔，因为他清楚明了地描述了大历史的基本模式。

2012 年，斯皮尔参与了国际大历史协会的成立工作，担任副会长，并在 2014 年至 2016 年间，担任会长一职。2010 年，他的大历史观念被编为一本名为《大历史与人类的未来》(*Big History and the Future of Humanity*)的书，2015 年，这本书更新至第 2 版。他还有一个推特账号，定期更新大历史方面的新发现。弗莱德·斯皮尔(@Big History)的推特是 http: //twitter.com/bighistory。

身处何地，这也是关于未来的第 9 个临界点，此外还会讨论人们如何在大历史中寻找意义。

读者朋友们的问题对于阅读和学习本书来说非常重要，就像科学家和学者的问题能够成为发现新知识的驱动力一样。阅读每一章节之前，先考虑一下该章的主题。你会提出哪些问题呢？关于这一主题，你想知道些什么呢？阅读完每章后，你还有疑问吗？每个章节后，我都罗列了一些科学家尚未解答的问题，但你的问题对你自己来说才是至关重要的。

深吸一口气，跳出未知世界的海洋，构造属于你自己的知识岛屿。本书会给读者朋友提供一个知识框架，之后你学到的所有的新知识，都可以“挂靠”在这个框架上。这个框架会告诉你宇宙中的万物如何联系在一起，而你又是如何与万物联系在一起的。

如果你已经有了与之不同的知识框架，比如说宗教知识框架，这个框架与自然和科学知识相违背，怎么办呢？如果你正在上大历史的课程，可以与老师和同学讨论这些问题。如果你正在读这本书，可以与父母、朋友或教士讨论这些问题。很多人发现，把科学框架和宗教框架结合起来，还是行得通的。

大历史涉及了人类最感兴趣的许多问题：世界从何而来？世界由什么组成？是什么将其连接在一起？我又是从何而来？我在此处做什么？人类是怎样一种生物？我们应该如何对待彼此和这个世界？此刻正在发生的主要问题是什么？一切又会去向何方？讨论这些与人类息息相关的问题，对于正在学习大历史的人来说，恰是有趣和有意义之处。

快速预览“大历史”

开始前，我们先来对本书所涉及的“临界点”做一个大体了解。

- 宇宙始于 138.2 亿年前的大爆炸。我们从最古老的恒星那里获知此信息，而且能测量宇宙以多快的速度膨胀，然后再倒推得出时间。最初，宇宙的温度极高，高到所有的粒子都无法结合在一起。大爆炸之后，大约过了 38 万年，

简单的原子（氢、氦）开始形成。宇宙逐渐冷却、膨胀，直至今日。（临界点 1）

- 氢是最简单的原子，由一个质子和一个电子组成。宇宙诞生后约 7 亿年到 20 亿年，氢气云产生了，恒星和星系开始形成。随着恒星的燃烧和爆炸，开始出现更为复杂的原子。高温使得更多的粒子聚合，产生复杂的元素，诸如碳和氧，随后形成了新的行星。而且，至少在一颗行星上，这些元素最终结合在一起，形成了生命。（临界点 2 和 3）
- 太阳是一颗中等体积的恒星。它大约于 45.6 亿年前在银河系中形成。气体云在引力作用下向内坍缩，并开始燃烧。剩下的物质则结合在一起，约 1 亿年后，形成了太阳系中的 8 大行星。地球是一颗岩态星球，与太阳的距离处于 8 大行星中的第 3 位，距离适中，刚好一半为固体，一半为熔融状态。（临界点 4）
- 地球形成大约 10 亿年后，生命，也就是单细胞的细菌，开始出现。进行光合作用的细菌将氧气排放到大气中，最终形成了保护生命免受紫外线伤害的臭氧层。据估计，最古老的细胞化石有 34.9 亿年之久。细菌进化了 10 亿年之久，之后在 10 亿年到 20 亿年之前出现了多细胞生物体。（临界点 5）
- 多细胞生物体大约始于 20 亿年之前，随后在约 6 亿年之前，大量动植物爆发般地涌现出来。人类与黑猩猩和倭黑猩猩有着共同的祖先，这一祖先经过约 600 万年的进化之后，也就是约 20 万年之前，现代人类（智人）出现了。

在人类出现之后的历史长河中，95% 的时间里，人类一直靠打猎和采集为生，人口数量相对稳定，与地球和地球的各个系统和谐相处。（临界点 6）

- 大约 1 万年之前，出现了温和、稳定的气候。人类开始种植作物、驯化动物，寻找方法贮存多余的食物。这使人类能够在人口密集的城镇里群居，发展专门的职业、建立国家、形成等级制度、造字书写、建造宏伟的建筑——而这些都是文明的特征。（临界点 7）
- 人类现代的生活，是以工业化和消耗化石燃料为基础的，只有仅仅 250 年的时间。在这个短暂的时期内，地球上的人口从约 7.5 亿上升到 74 亿。现在的人类，正在改变我们赖以生存的地球和地球的各个系统。（临界点 8）

对于将近 138.2 亿年的历史，你又如何理出头绪呢？绘制时间线的方法有很多，这里推荐一个快捷方法：找 2 卷完整的 1000 节斯科特牌卫生纸，外加 3/4 卷，想办法把卫生纸在房间里平铺开来。或者，要是不想搞得一团糟，只是简单地想象一下如何平铺也行。每一节卫生纸代表 500 万年，一卷有 1000 节，也就是代表 50 亿年，大约是太阳系的年龄。最后一卷的最后一节代表整个人类历史，这要加上人类与黑猩猩共同的祖先进化成为人类的时间。［这个方法是北卡罗来纳州的科学教育家露西·拉菲特（Lucy Laffittc）提出的。］

在整个宇宙中，人类只占据最小的部分，而现代社会在整个人类历史中，也只占据一小部分。在整个宇宙背景中看起来就是这个样子。你希望大历史能够为你解答什么样的问题呢？

继续探索

初级

Dunbar, James Lu.（2014）. *The universe verse*. Berkeley, CA：James & Kenneth Publishers.

www.bighistoryproject.com

中级

Brown, Cynthia Stokes.（2012）. *Big history: From the big bang to the present* [2nd ed]. New York：New Press.（1st ed., 2007）.

Hazen, Robert M., & Trefil, James.（1991 & 2009）. *Knowing. In Science matters*：Achieving scientific literacy（pp.3–25）. New York：Anchor Books.

Spier, Fred.（2015）. *Big history and the future of humanity*. [2nd ed]. Malden, MA：Wiley-Blackwell.（1st ed., 2010.）[Chaps. 1 and 2.]

高级

Chaisson, Eric.（2006）. *Epic of evolution: Seven ages of the cosmos*. New York：Columbia University Press.

Christian, David.（1991）. "The Case for Big History." *Journal of world history*, 2, 2（Fall）, 223–238.

Christian, David.（2011）*Maps of time: An introduction to big history*.（2nd ed.）Berkeley and Los Angeles：University of California Press.（1st ed., 2004）.

Christian, David；Brown, Cynthia Stokes；& Benjamin, Craig.（2014）. *Big history: Between nothing and everything*. New York：McGraw-Hill.

Gleiser, Marcelo.（2014）. *The island of knowledge: The limits of science and the search for meaning*. New York：Basic Books.

Green, Mott T.（2015）. *Alfred Wegener: Science, exploration, and the theory of continental drift*. Baltimore, MD：Johns Hopkins University Press.

网址

http: //www.cfa.harvard.edu/ejchaisson/cosmic_evolution/docs/splash.html　蔡森的多媒体网站，展示了从宇宙大爆炸到人类的宇宙演化过程。

http: //twitter.com/bighistory　弗莱德·斯皮尔的推特主页，推送科学证据的新发现。

http: //www.youtube.com/watch?v=ZSt9tm3RoUU　《一分钟讲人类故事》（*Our Story in One Minute*）尽在 YouTube Melodysheep，伴着音乐，聆听一分钟的故事。

2

Threshold 1: The Big Bang (13.82 billion years ago)

第2章

临界点1：宇宙大爆炸（138.2亿年前）

物质——也就是所有的物体——都是从哪儿来的呢？宇宙中的万物都有其开端，科学家称这一开端为宇宙大爆炸。

每个文化背景下的人都会经常问这个问题，而答案也通常是有关创造世界的故事。这种答案叫作“创世神话”或“起源故事”。

从逻辑上说，关于万物从何而来的解答，有两个可能的答案：万事万物或自有其开端，或根本没有开端——就一直在那里，永远在那里。

20 世纪时，科学家认为这两种答案或称之为假说，都有可能。随着证据的积累，他们排除掉一种假说。貌似宇宙中的万物确实都有其开端，科学家称这一开端为宇宙大爆炸。

大爆炸理论的故事

20 世纪早期，科学家认为人类周围的宇宙是静止的、固定的。宇宙不会移动，也不会改变。他们不知道宇宙有多大，还以为银河系是宇宙中唯一的星系。

随后，20 年代后期，天文学家埃德温·哈勃（Edwin Hubble，1889—1953）有了令人意想不到的发现。他借助位于加利福尼亚洛杉矶附近的一架全新的大型望远镜，以及多位天文学家手中的数据，探测到宇宙中还有许多星系。除了距离银河系较近的星系，其他的都在逐渐远离彼此。星系间的距离远两倍，远离彼此的速度也是快两倍。

这一发现在科学界迅速传播开来。比利时一位名为乔治·勒梅特（Georges Lemaître，1894—1966）的天文学家，同时也是一位天主教神父，根据这一新发现，做出了符合逻辑的推论：假如宇宙随着时间推移，越来越膨胀，那么之前宇宙的体积就会相对小些。实际上，如果我们穿越时光隧道回到过去，最终会回到“奇点”，万事万物都压缩在这个奇点内。

这个想法太奇怪了，甚至包括哈勃在内的科学家都不愿意接受。他们不得不放弃对恒星的研究，转而去寻找最微小的粒子。俄国出生的美国科学家乔治·伽莫夫（George Gamov，1904—1968）想到，如果宇宙起源于一个奇点，那么最初宇宙的温度就会极高，任何原子都无法形成。那时它应该是一团气态糊状物，由在极高能量中运动的微小亚原子粒子组成。没有光线能够穿过这些糊状物。

如果宇宙一开始温度极高，那么就一定会随着自身的膨胀逐渐冷却下来。而且一定会有这样一个时刻，宇宙冷却到一定程度，亚原子粒子可以形成原子。伽莫夫和同事意识到，如果确有此事，就会突然爆发出一束光，那时，光开始能够穿越空间，不会与带电的亚原子粒子纠缠在一起。他们预测，空间中应该还有这些光的残留。

大约 20 年之后，物理学家开始探索如何寻找这束光的残留。难以置信的是，两位射电天文学家在 1964 年偶然间发现了它。

阿诺·彭齐亚斯（Arno Penzias）和罗伯特·W. 威尔逊（Robert W. Wilson）在新泽西的霍姆德尔尝试使用一台大型微波天线，而这个微波天线此前是用于卫星通信的。二人想把所有的背景信号全部屏蔽掉，但是他们总能接收到从四面八方传来的能量造成的嗡嗡声或嘶嘶声，就是无法屏蔽掉。他们试了所有办法，甚至还把天线上的鸽粪清理掉了，但仍然不起作用。

彭齐亚斯和威尔逊联系了约 50 千米外普林斯顿大学的物理学教授罗伯特·迪克（Robert Dicke，1916—1997）。迪克立即意识到，他们找到了他自己的团队刚刚开始寻找的东西——根据伽莫大的宇宙大爆炸理论预测出来的那一束古老的光。“我们被人占了先机，”他挂掉电话的时候说道。历经 130 亿年的宇宙膨胀，那束光已经被拉伸，变成了波长很长、低频率的微波辐射，虽然人类看不到，但可以通过地球上的天线探测到，而太空中的卫星探测的效果会更好，因为地球大气层把大部分信号都屏蔽掉了。

多数科学家都认为这一证据足以支持“宇宙大爆炸”的构想，使之从“假说”上升为“理论”。世界上的主流科学家，大部分都已接受大爆炸理论，认为大爆炸理论是对现有证据的最好诠释。

大爆炸理论表明，宇宙诞生于 138.2 亿年前（此数字或有几百万年的出入）。爆炸前的那一刻，宇宙中所有能观察到的事物都集中于一点，那个点甚至比原子还要小，但温度极高，高到无法想象。

但是对于那些能量来源何处，或者说大爆炸之前到底存在着什么，科学家一无所知。科学家说，我们所知的时间就开始于大爆炸那一刻。

大爆炸之后，宇宙立即开始膨胀、冷却。它至今依然在膨胀、冷却。对于科学家而言，宇宙似乎会继续膨胀、冷却下去，直到所有能量消散，所剩无几，只留下亚原子粒子云分散在无边的空间之中。科学家甚至预测这些粒子最终也会蒸发掉。

将上述内容作为一个不可思议的起源故事，如何？的确不可思议，但它与人类迄今为止所做的观察都能吻合起来。在讲述宇宙最初一些年里的故事前，我们需要先了解几个基本概念的含义。

五个基本词

在天文学和物理学中，给基本词和概念下个定义，简直难于上青天。之所以会这样，大概是因为没有比这些更基础的词和概念能够用来下定义了。科学家必须既要使用旧词，也要发明新词，并同时对新发明的词进行定义。

举几个例子来说：能量、物质、质量、光和时空。如今这些词的含义是什么？

“能量”（energy）和“物质”（matter）可追溯到2500年前的希腊哲学家。今天，“物质”是指“占据空间、具有质量的物理实体”。“能量”是指“施加力量的能力”，指能够移动和塑造物体的力。

能量和物质看似是不同的东西，但两者是可以相互转换的。在极热的条件下，比如核弹内部或恒星内部，物质可以转化成能量。阿尔伯特·爱因斯坦（Albert Einstein）为此提出了著名的公式：$E=mc^2$，其中E代表能量，m代表物质，c代表光速（光是宇宙中速度最快的东西）。由于光速这一数字很大，所以这个公式意味着一丁点儿物质就能够转化为非常多的能量。或者反过来说：形成一丁点儿物质需要耗费大量能量。

艾萨克·牛顿（Issac Newton）在 17 世纪引入了“质量”这一术语。质量是衡量某物体内物质多少的量，现在是通过计算组成物质的原子内部的原子核中所含的质子和中子的数量得出。质量不是重量，重量是质量对引力的反应。比如说，在地球和月球上，你的质量是一样的，但重量则不相同，因为月球上的引力要比地球上的引力小很多。“质量”就是科学家用来描述世界的词汇之一。

用现代的眼光来看，光是一种能量。光非常神秘，光速是宇宙中最快的速度，真空中光速能达到每秒约 300,000 千米（即 186,000 英里 / 秒或 6.7 亿英里 / 小时）。光携带能量，却没有质量。光还可以被描述为带有粒子特性的波。这种粒子叫作光子，没有质量，也不带电。你也可以说，光子是没有质量的能量束。

在电磁辐射中，光是人眼可见的部分。（电磁力是一种基本力，是电场和磁场在空间运动时相互的作用。）电磁辐射以波的形式传播，波长从短到长依次为：伽马射线、X 射线、紫外线、可见射线（光）、红外线、微波和无线电波。天文学家使用一系列的望远镜进行观测，每一种望远镜对应不同的波长。

“时空”一词来源于爱因斯坦的物理学。它意味着空间的三维与时间的一个维度不是相互独立的，而是形成一个连续体。物质和能量的存在能够弯曲空间，从而改变空间以及时间流。时间无法离开空间独立存在。

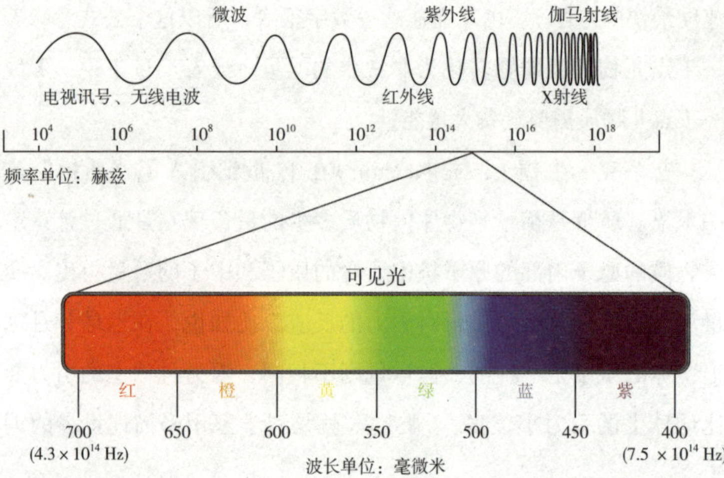

电磁辐射的波长

我们时刻都被电磁波包围着。只要有电荷加速，随时都能产生电磁波。根据波的频率，名称也不尽相同。这张图表显示了不同频率的波谱，从最慢（每秒几千周，即几千赫兹）到最快（每秒上百万兆周，即上百万兆赫兹）不等。

既然我们搞清楚了这些基本词语的含义，我们就可以继续讲故事了。

第一秒

我们无法将故事倒退至时间为零的那一刻（t=0）。那一时刻还在科学理解的范畴之外，也是最大的谜团——时间从何而来？宇宙的第一秒决定了我们的命运，它诞生时的第一秒所发生的事情决定了我们今天的样子，否则，人类不会存在。

据估计，就在 $t=0$ 之后，宇宙温度极高，能量和物质尚未分离。初始瞬间不像我们所理解的爆炸那样，从中心投射出什么东西，而是空间本身以一种外张的方式膨胀开来。

科学家想象，在第一秒的 10^{-27} 的时刻，宇宙以极快的速度膨胀。天文学家称这一时期为"暴胀期"。10^{-27} 秒之后，早期宇宙膨胀到今天银河系的大小。

仍然在"第一秒"内的时间，宇宙的膨胀速度开始下降，四种基本力出现了。它们分别是引力、电磁力（包括电力、磁力和各种形式的光），以及其他两种只在原子内部起作用的力（强力和弱力）。名为"玻色子"的粒子，携带其中的后三种力。

（至今尚没有发现携带引力的粒子。人们推测存在一种带引力的粒子，而且名字已经给它取好了，叫作"引力子"（graviton）。物理学家希望某一天能够发现这种粒子，但迄今为止，他们还无法对引力做出令人满意的解释。）

另外，某种未知的能量对婴儿期宇宙的向外扩张起到了作用。1999 年，天文学家意识到，这种能量一定存在，因为他们发现，在几十亿年的时间里，宇宙的膨胀速度一直在加快。这种能量看似是某种"反引力"，它对抗引力，推着宇宙向外扩张。天文学家把这种假说中的能量称为"暗能量"，因为天文学家只能通过它产生的影响检测到它，但并不知道它到底是什么。他们认为暗能量占据了宇宙中质能总量的 70% 左右。

仍然是在"第一秒"内，随着空间膨胀和宇宙冷却，能量凝结成了第一批物质。最小的粒子是夸克、轻子及其他粒子。依然是在"第一秒"内，夸克形成了质子和中子。（参见下一部分）

如果这些都还不够奇怪的话，那么在宇宙的第一秒之内，还发生了比这更为奇异的事情：就在最早的物质粒子在极度高温中快速旋转时，相同数量的反粒子出现了。这些反粒子与粒子一模一样，只是电荷相反。

反粒子与粒子相撞，彼此湮灭。二者都变成电磁辐射，产生的光子则带着能量远去。就在第一秒之内，粒子与反粒子的数量几乎均等，但在大湮灭事件之后，剩下了一些粒子。据科学家估计，平均每10亿对撞的粒子和反粒子之中，会有一个粒子留存下来。那么为什么宇宙中的粒子会比反粒子多呢？这是物理学界尚未解开的谜团。然而也正是那些留存下来的粒子，后来构成了宇宙中的万物。

另外，或许还存在一种物质，科学家称其为“暗物质”，因为它不会与光发生相互作用。天文学家认为暗物质是存在的，因为恒星和星系的运动方式无法用可见物质的引力解释。暗物质大概是在宇宙形成的第一秒内形成的，但无人可以确定这一点。据估计暗物质构成了宇宙质能总量的25%。而已知的物质，也就是普通的、原子或者重子构成的物质，占据了5%。

接下来的20分钟

大爆炸约3分钟后，温度已经冷却得足够了，质子和中子开始结合，形成原子核。此时尚没有原子，只是质子和中子结合在一起，还没有电子环绕在外。

温度还是太高，质子和电子依然不能结合形成原子。原子是由质子和中子组成原子核，加上绕核运动的电子构成的。（了解更多细节请参考下一节。）此时，宇宙呈现一种气体的状态，叫作等离子态，这种状态持续了大约 30 万年。新生物质的粒子（质子、中子和电子），在不断碰撞爆发的能量中跃动，而这种能量是由带正电荷的质子、带负电荷的电子和光的相互作用产生的。在这一锅粥中，光子无法逃脱。它们与带电荷的粒子，尤其是电子交织在一起，无法自由移动。

想象这样一幅画面：无论跃动的或是对撞的电子和质子何时吸引彼此结合成原子，辐射出来的光子都会与电子相撞，中止结合。而这种结合只有在所有粒子都失去更多的能量后才能持续，而粒子的确会失去更多能量，因为宇宙不断在冷却。

等离子的状态如今在恒星的中心依然存在。恒星中心温度极高，像早期宇宙的条件一样，能够产生类似气体的状态，原子分裂成亚原子粒子。

真是一锅粥啊！谁能从那种状态预测出 138.2 亿年之后的事情呢？

最初的 38 万年

等离子的状态存在了约 30 万年的时间。接下来的 5 万年左右，宇宙中会经历一个大变化。温度继续冷却，比我们今天的太阳表面温度还要低一点。整个宇宙的温度都是这样高。

随着温度冷却，光子不断失去能量，亚原子粒子也不再振动得像之前那样疯狂。振动减弱，具有相反电荷的质子和电子就能

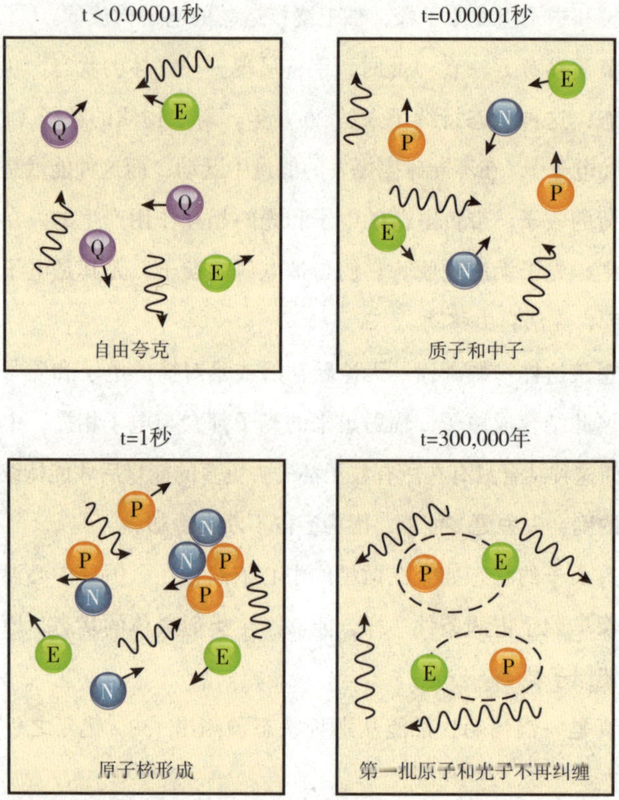

早期宇宙的时期

上图表明了宇宙早期四个阶段的物理过程，这四个时间段分别为：0.00001 秒之内，0.00001 秒，1 秒和 30 万年。波浪线代表光子。

结合在一起了。带正电荷的质子或者与中子结合的质子，吸引带负电荷的电子，形成了第一批原子。

第一批原子是最简单的两种——氢和氦。氢原子由一个质子和一个电子组成，氦原子由两个质子和两个中子组成原子核，还有两个电子绕核运动。早期宇宙中的原子比例，以质量计，约 75% 为氢原子，25% 为氦原子，还有相对稳定的锂的痕迹，锂由 3 个质子、3 个中子和 3 个电子组成。（以数量计，氢原子大约占早期宇宙的 90%。）

原子的结构有点类似于太阳与其行星的关系——体积极小的电子绕着由质子和中子组成的巨大原子核转动。每一个原子都有相同数量的质子和电子，所以正负电荷相互抵消。质子的体积几乎是电子的 2000 多倍。中子没有电荷，质量比质子的质量稍微大些。中子与质子结合，形成原子核，质量达到整个原子的 99.9%。中子通过强力相互吸引，也帮助质子结合起来，否则质子会相互排斥。所以，每个含有一个以上质子的原子，在其核内，都会有一些中子将其聚合在一起。

还有一个令人吃惊的事实：像太阳系一样，原子内部绝大部分都是空的空间。比如在氢原子内部，如果其质子像篮球那么大，它周围的空间就堪比地球。而电子的大小，则只相当于樱桃核。电子绕着质子旋转，就相当于一颗樱桃核在地球大气层的边缘（距离地球表面约 100 千米）绕地球旋转一样。剩下的则是空空如也的空间。

微小的电子，绕着原子核不断运动，成为“电子云”。电子的轨道称为“电子层”。最里面的层级仅能容纳两个电子。接下来的两层，每一层则能容纳 8 个电子。有时候，最外一层不足 8 个电子，这种原子就可能形成分子。（关于这一过程的细节请参见第 4 章。）我们无法精确描述电子的运动，因为电子的运动方式并

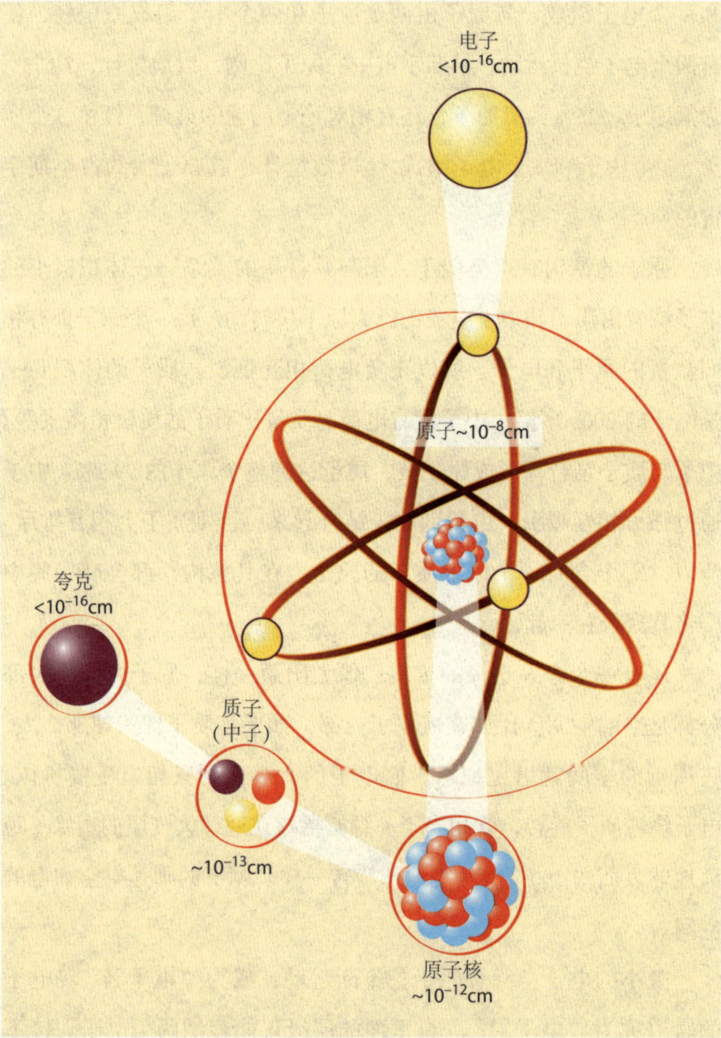

原子长什么样？

原子的结构：一群电子绕原子核运动。原子核由质子和中子构成，质子和中子均由 3 个夸克构成。

不符合常规。它们的运动符合量子运动规律——电子会从一个相对稳定的轨道跃迁到另外一个轨道，但不大可能处于两个轨道之间。从这一点上讲，将原子与太阳和 8 大行星进行类比就不那么恰当。

如果原子内部大部分都是空的，那么为何它们组成的物体是坚固的呢？这是因为力、键合力以及场，让万物各安其位，让物体显得坚固。

光，正如上文提到的那样，是不带电荷的。质子、中子和电子结合形成原子之后，光子就不会与它们的电荷纠缠在一起了。光子形成了巨大的光束，在空间自由移动。

上面已经提到，两位射电天文学家探测到了那道光束。阿诺·彭齐亚斯和罗伯特·威尔逊发现了科学家称作“宇宙背景辐射”（CBR）的东西，有时也称作“宇宙微波背景”（CMB）。这一背景就是那道光冷却下来的残留物，它们充斥宇宙，来自第一粒原子诞生、光（光子）能够自由移动的那一刻。

我们怎么可能看到那么久之前存在的东西呢？原因就是，某事物距离我们越远，其辐射抵达我们所需的时间就越长。如今所见乃长久之前的样子。举个例子来说，如果我们看到距离地球 3000 光年的一颗恒星爆炸了，那么，爆炸是发生在 3000 年前，因为爆炸时发出的光需要用 3000 年的时间才到达地球。（光年是光传播一年的距离。一光年相当于 9.5 万亿千米，即 6 万亿英里。这个距离到底有多长呢？想象一下我们的太阳系，它比太阳系直径的 500 倍还要多，不过这没有把太阳系边缘的大型奥尔特云算在内。）

大爆炸之后 38 万年，宇宙背景辐射开始在空间中穿越，过了

两个早期空间望远镜

威尔金森微波各向异性探测器（WMAP）：2001 年 6 月，美国国家航空航天局（NASA）将 WMAP 送入太空，2010 年 10 月，它结束了探测任务。WMAP 非常成功，实际使用寿命是科学家预想的 2 倍。

WMAP 首次将宇宙背景辐射（CBR）中出现的微小波动绘制成图。它确定了普通物质、暗物质和暗能量的比例。（登录 http: //map.gsfe.nasa.gov 获取更多图像和信息。）

普朗克卫星：欧洲航空局（ESA）运行的是另一台空间天文台。它以德国物理学家马克斯·普朗克（Max Planck，1858—1947）的名字命名，普朗克创立了量子理论，于 1918 年荣获诺贝尔物理学奖。（详情参见下文“知识前沿的疑问”。）

普朗克卫星于 2009 年 5 月升空，2013 年 10 月结束任务。它的轨道是绕地球的椭圆形轨道。轨道最远点距离地球 1,126,540 千米（700,000 英里）。在 CBR 的图像绘制方面，它的精确度比 WMAP 高，2013 年 3 月，科学家首次公布了 CBR 的全天图像。科学家通过 CBR 的精确图像，将宇宙的年龄精确到 138.242 亿年（前后有几百万年的出入）。为了做到这一点，科学家研究了 CBR，并计算出由宇宙膨胀造成的光波拉伸的程度。接下来，他们就能计算出宇宙膨胀了多长时间。

差不多 138 亿年的时间，才到达我们这儿。宇宙的膨胀把这束光的光子拉伸成了微波，其波长太长，肉眼无法看到。只有仪器能够探测到，将其转化成图像，呈现在我们眼前。

为了避开地球大气层的干扰，科学家发射了卫星探测器，比如威尔金森微波各向异性探测器和普朗克卫星，用以拍摄宇宙背景辐射的图像。这些照片似乎记录到微波中有微小的温度波动。这些波动表明，早期宇宙中的物质并不是绝对均匀分布的。有些地方，温度稍微高些，通常在图像中呈现红色。在这些红色区域，引力开始将原子拢在一起，这就是恒星和星系的开始，我们会在下一章予以探讨。

今天的物理学家如何做研究

天体物理学家是指那些借助物理学研究天文学的人。在可能的最小范围（亚原子粒子）内和可能的最大范围（宇宙）中所发生的事，都是他们想要弄懂的对象。

为了研究早期宇宙发生了什么，科学家需要尽最大限度重新创造出当时的条件。这就需要使用巨大且昂贵的机器，让亚原子粒子以接近光速的速度进行撞击。（似乎正应了比尔·布莱森那句话：越是研究小东西，越是需要大机器。）

由于没有哪个国家能够独自负担得起这类机器，所以 100 多个国家携起手来，提供所需的资金、科学家和工程师，共同建造所需的设备。该设备建在法国和瑞士交界处，靠近日内瓦机场。组织者是欧洲核子研究中心（CERN）。该机器叫作“大型强子对撞机”（LHC），是迄今造价最高的科学实验设备，总投资超过 60 亿美元，仅电费这一项，一年就要 3000 万美元。（强子是强核力控制下的质子、中子及其他粒子的统称。）

大型强子对撞机于 2008 年完工，建在地下的圆形隧道内。周长几乎有 27 千米（17 英里）。科学家发射两束粒子，通常为质子，一束顺时针运行，一束逆时针运行。粒子一圈圈地在隧道内运行，逐渐加速到接近光速。两束粒子对撞时，能量所达到的水平，在宇宙第一秒之后还从未见过。

通过加速使质子对撞并破裂，LHC 可以把质子打碎成更小的粒子。这有点像为了知道两辆小汽车里有什么而让它们相撞。

质子对撞分裂出来的粒子只存在远远不到一秒钟的时间，就立刻衰变了，或与其他粒子重新结合起来。大爆炸理论表明，早期宇宙的所有物质都包含这些微小的亚原子粒子，所以说，LHC 是试着在小规模上重造早期宇宙。

苏格兰物理学家彼得·希格斯（Peter Higgs）提出了一项假说，目前科学家正在检测。希格斯想搞明白，在这些最微小的粒子中，为什么有的似乎有质量，而有的没有。他假设宇宙可能浸在一个无形的背景场中，类似于磁场，这个场由极其微小的、没有质量或能量的粒子构成。

假说中的这种粒子叫作“玻色子”，或“希格斯玻色子”，是以两位物理学家的名字命名的——彼得·希格斯和印度物理学家玻色（S. N. Bose，1894—1974）。希格斯认为，与玻色子相互作用的粒子具有质量（质子和中子），而那些可以轻易穿过玻色子场但不发生相互作用的粒子没有质量（如光子）。温度越低，玻色子就越“厚实”，物质粒子穿过玻色子场的难度也越大，这一现象被解读为它们具有了质量。物质之所以存在，就是因为这个原本就存在的、隐藏的背景场。

但是，有没有人发现希格斯玻色子存在的证据呢？直到 2012 年 7 月 4 日，LHC 的科学家才宣布发现了希格斯玻色子的初步证据。2013 年 5 月，他们宣布发现了新的证据，要想分析其特性需要进一步的研究。（最近 LHC 的功率得到了提高。最新消息可以登录 http: // home.web.cern.ch/topics/large-hadron-collider 查看。）

知识前沿的疑问

人类对于宇宙的认识还存在很多重大问题未能得到回答。下面列举其中几个，科学家希望通过 LHC 收集的数据能够解答其中几个问题。等本书出版时，有些问题可能已经解决——由于新发现产生的速度越来越快，要想让书的内容保持最新可不容易。

- 什么是暴胀？大多数天文学家提出假说，在宇宙诞生的第一秒内有一瞬间，宇宙以指数级别迅速膨胀，在不到一秒钟的时间内，空间多次倍增，膨胀的速率“前无古人后无来者”。

这一假说最初是由物理学家艾伦·古思（Alan Guth）于 1979 年提出来的。目前已经发现了支持这一假说的部分证据，但尚不足以得出结论。暴胀会使引力波遍布宇宙各处。科学家正在宇宙微波背景中寻找相关证据，但空间中的尘埃会造成图像扭曲变形，这阻碍了科学家的研究。此问题需继续关注。

- 除了所说的四维空间之外，宇宙中还存在其他维么？

“弦理论”假说认为：自然界的基本构成单元不是粒子，而是以不同方式振动的弦。其中一个版本的弦理论假说认为宇宙中存在 11 维。弦理论的支持者希望大型强子对撞机能够为这一假说提供支持，因为迄今为止，还没有任何证据证明这一假说。

- 经典的宇宙大爆炸理论能与量子理论结合起来吗？

对最小范围内物质的研究，称作“量子物理学”或“量子力学”。量子对应的拉丁文中的“quantum”一词，其含义是“碎裂成束或粒子”，而“力学”（mechanics）一词是个老词，意思是对运动的研究。所以说，量子力学是指对粒子运动或相互作用的研究。

1927 年，德国理论物理学家维尔纳·海森堡（Werner Heisenberg，1901—1976）提出了著名的“不确定性原理”，在量子物理学界引起震动。该原理指出，可以把电子描述为一种波，位置确定得越精确，动量越模糊，反之亦然。换言之，我们无法同时准确地测量出电子的位置和轨道。因此，电子在某个既定时刻所处的位置，永远无法准确预知。

粒子一旦小到电子这样的程度，似乎会随意地产生或消失。物理学家所能做的，就是估计某个粒子在某个特定时间存在于某个特定地点的可能性。到了最基本的层次，现实似乎变成了随机的，无法准确获知。

这就造成了大尺度世界（即宏观世界）和微小物体世界（即微

观世界）之间的断裂。经典的物理学规则到了最小的粒子尺度就失效了。物理学家尚不能将这两个领域协调起来。

但是宏观世界和微观世界之间的中间地带已经产生了令人兴奋的研究。这就是“介观领域”（mesoscopic realm）。这个领域的尺度大致相当于一米的百万分之一，也就是一个细菌的大小。这就是纳米技术领域，目前已经生产出可以利用量子力学效应的设备。1 纳米等于 10^{-9} 米，也就是一个中型分子的大小。原子还要小 10 倍。

- 我们的宇宙从何而来？这个宇宙之外是否存在另外一个宇宙？我们生活在“多重宇宙”中吗？

人类将“宇宙视界”之内的范围称为宇宙——这是可看到与无法看到之间的边界。宇宙到底是向四面八方延伸，还是像气球弯曲回到自身，科学家并不清楚。他们也不知道空间的形状。我们只能看到发出的光有足够时间能到达我们的事物，也就是 138.2 亿年内的事物。但是，由于宇宙一直在膨胀，138.2 亿年前的事物，如今距离我们会有 457 亿光年远，这就是可视宇宙的大小。

我们这个宇宙之外还有什么（如果有的话），天文学家也不知道。迄今为止，对于如何研究这些问题，他们尚未设计出研究方法。有些天文学家推测，这个宇宙可能是很多宇宙中的一个。或许我们所在的宇宙只是巨大的多重宇宙的一部分，多重宇宙涌现出了许多小宇宙。或许黑洞的另一端会冒出其他宇宙。这还都只是推测。

科学家能够找到检验这些假说的方法吗？现在，科学家能做的只是在已有知识的基础上进行推测，直到通过实际观察，找到检验这些假说的方法。需要提一句，这些假说并不属于核心科学知识的范畴，它们属于对于知识边缘的推测，是未知海洋的边缘，而非已知知识岛屿的海岸线。

宇宙和你

宇宙中所有可能存在的物体大小不等，人类似乎处于最大与最小之间。宇宙中一半物体比我们大，一半物体比我们小。了解这一点，可登录 YouTube 点击视频《10 次幂》。（www.youtube.com / watch?v=0fKBhvDjuy0）

看来，宇宙的存在是有其“金发女孩条件”的。如果膨胀率再大那么一点点，宇宙膨胀的速度过快，物质就无法形成。如果膨胀率再小那么一点点，整个宇宙可能就会发生内爆了。是否存在因欠佳的膨胀率而膨胀失败的宇宙呢？是否存在以其他膨胀率膨胀、由其他成分构成和其他法则运行的宇宙呢？我们不得而知，但无论怎样，人类恰恰是这个宇宙运行方式的结晶。

你体内的每一个原子内部，都是宇宙诞生的最初时刻产生的亚原子粒子；你体内的质子、中子和电子是在宇宙的第一秒内形成的；你体内的氢原子，平均约占人体的 62%，是在宇宙最初 40 万年里形成的；你体内超半数以上的原子，其目前的形态可以往前追溯 138 亿年。

现在，我们回到本章的标题所提出的问题：物质从何而来？是什么将万物连在一起？你能解答这个问题吗，试着写下来。

继续探索

初级

www.bighistoryproject.com

Morgan, Jennifer.（2002）. *Born with a bang*. Nevada City, CA：Dawn Publications.

Dawkins, Richard.（2011）. *The Magic of Reality: How We Know What's Really True*. New York：Free Press. [Chaps. 4 and 8].

中级

Bryson, Bill.（2003）. *A short history of nearly everything*. New York：Broadway Books. [Chaps. 1, 8–11].

Hazen, Robert M., and Trefil, James.（1991, 2009）. *Science matters: Achieving scientific literacy*. New York：Anchor Books. [Chaps. 2–5, 9 & 11].

高级

Weinberg, Stephen.（1977, 1988, 1993）. *The first three minutes: A modern view of the origin of the universe*. New York：Basic Books.

Ferris, Timothy.（1998）. *The whole shebang: A state-of-the-universe（s）report*. New York：Touchstone.

Krauss, Lawrence M.（2013）. *A universe from nothing: Why there is something rather than nothing*. New York：Atria Books.

网址

http: //map.gsfc.nasa.gov　网址中含与威尔金森微波各向异性探测器（WMAP）相关的图文信息。

http: //home.cern/topics/large-hadron-collider　欧洲核子研究中心提供大型强子对撞机的最新信息。

www.youtube.com/watch? v=0fKBhvDjuy0　视频《10 次幂》(*Powers of Ten*) 将人类置于大小尺度的中间，然后每次以 10 次方来增大或缩小。

www.particleadventure.org　劳伦斯伯克利国家实验室带你进入与夸克、中微子、反物质、额外维度、暗物质等的互动之旅。

3

Threshold 2: Galaxies and Stars (13.7 billion years ago to now for stars)

第3章

临界点2：星系和恒星（137亿年前到现在）

宇宙中的物质是如何排列的？答案看似很简单：排列在恒星组成的星系中。那星系和恒星从何而来的呢？

下面我们就开始讲大历史的第二个临界点：星系和恒星。从这里开始，某些全新的东西出现了，要比之前更加复杂，带着更多的能量流，可谓前所未有。读完本章，不仅可以讨论星系和恒星的排列，还可以讨论星系和恒星的复杂性。

星系的构成

星系和恒星的问题有点类似于先有鸡还是先有蛋的问题——很难说明白先有哪个。或许先有星系，它们以巨大的、一片片的暗物质的形式出现。它们出现的年头太久了，光距离我们太远，所以天文学家尚没有发现“星系宝宝”的踪影。

第 2 章中，我们讲了早期宇宙，它跨越了大爆炸后的 40 万年。光子在其中运行的速度大约在每秒 30 万千米（186,000 英里），早期宇宙会发出暗淡的光。光子再也无法分裂原子，那些原子散布在空间里，但并不均匀。有些区域中，原子要比在其他区域更加紧密地结合在一起，就像不平的地面上汇集起来的小水坑。在宇宙背景辐射图像中，这些区域的温度比别处高。

纵观宇宙历史，此时，引力开始走向舞台中央。引力是一种吸引物体的力。物体质量（物质的量）越大，物体间的距离越小，引力越大。如果每个原子与其他所有原子之间的距离都完全均等的话，也就没有后来的故事了——那样的话所有的物体受到的引力完全均等。

但是确实发生了某种事件。在某些区域，引力将大量的氢原子和氦原子吸引到一起，形成巨大的团簇，而区域之间则留下了大量空间，几乎没有任何物质。在物质密集的区域中，星系和恒星出现了。

我们至今都无法全然理解星系的形成。这里面的问题是：引力还不够强大，不足以在这么短的时间里将物质吸引到一处。科学家认为，在把普通物质吸引到一起形成星系的时候，暗物质兴许搭了把手。（想了解有关暗物质的更多信息，参见下文“知识前沿的疑问”。）

很显然的是，大约 131 亿年前星系就开始形成了。有利于星系形成的环境只维系了大约 13 亿年的时间。过去的 118 亿年中，星系继续存在，但没有新的星系形成。

星系是由上千亿颗恒星组成的巨大的星团，恒星通过相互之间的万有引力聚拢在一起。星系之间是广阔的空间，几乎一粒原子都没有。现在，星系中还包括恒星残余、气体云和尘埃云，而且还有暗物质晕环绕四周。似乎大多数星系的中心都有一个黑洞，那里物质致密，引力相当大，周围的一切物质甚至是光子，都无法逃离。科学家认为这些黑洞对于星系的凝聚起了一定的作用。

多数星系都呈旋涡状。有时星系与星系相撞，形状发生变化，变得更椭圆，或更像鸡蛋的形状。所有星系均绕其中心旋转。星系收缩加速了旋转，就像溜冰选手双手越是紧抱身体，旋转速度

银河系
从上方看，银河系就像一张平面的圆盘，中间有个“突起”，恒星组成的“旋臂”向外延伸。

就会越快一样。旋转的星系呈现圆盘状，就像中间凸起的“宇宙比萨”。

宇宙大爆炸后 7 亿年到 20 亿年之间，星系形成，也是只有在那段时间才形成了星系。当时的宇宙，只相当于现今大小的 6% 左右。只有那个时段存在有利于星系形成的“金发女孩条件”，一切都“刚刚好”。对人类来说，虽然不再有新的星系形成，但幸运的是，星系一直存在至当下。

银河系

“星系”（galaxy）一词来自希腊语，意为“牛奶圈”（希腊语中“gala”指牛奶）。我们所处的星系叫银河系，对应的英文是“Milky Way”，这是从拉丁语“via lacteal”的字面意思转换过来的，意为“牛奶路”。所以银河系的英文名字“Milky Way galaxy”，就等于是双料的牛奶星系了。

人类无法看到银河系的全貌，只能看到其侧面。肉眼看到的银河系，就像是乳白色的雾，中间有明亮的繁星点缀，纵贯几乎整个夜空。城市里的灯光太亮，夜空中往往看不到银河系。你要是从未见过银河系，一定要弥补这个缺憾，选个晴朗的夜晚，走出城市，去到乡下，地球上最让人惊叹的景致就会呈现在你眼前。

古罗马人觉得，这条繁星构成的大河看起来就像母乳一样洒在夜空。于是罗马神话中便有一个说法：一位女神把不认识的婴儿从身边推开，乳汁从乳房里流出，洒在天空。

据估计，银河系中约有 2000 亿 ~ 4000 亿颗恒星，直径约有 10 万光年。离它最近的星系是仙女座星系，两者之间相距 250 万光年。（提示：1 光年约为太阳系直径的 500 倍。）

关于恒星在星系中的位置，我们来想象一个具体的模型：想象太阳系像一枚 25 美分的硬币那么大，直径大约 2.5 厘米（1 英寸）。在这样的比例下，太阳就像一粒尘埃。而银河系的直径，则相当于美国国土的宽度。比邻星是距离我们最近的恒星，也把它想象成一枚 25 美分的硬币。在此比例下，它到太阳的距离，就相当于两个足球场那么大，而这也是银河系中恒星的典型距离。（参见 http: //www.cfa .harvard.edu/seuforum/howfar/howfar.html）

现在，回到银河系最近的邻居——仙女座（两者之间相距 250 万光年），这两个星系同属一个星系团，叫作“本星系群”，里面约有 40 个星系，它们之间的距离并没有变得越来越远。实际上，仙女座正在朝银河系移动。据天文学家估计，约 40 亿年后，两个星系会撞在一起。因为每个星系中大部分都是空间，所以不会有太多恒星发生相撞事件，但引力很有可能会重新布置里面的恒星。

星系团横跨 2000 万光年之多，每个星系团包含 10 到几千个星系。星系团又隶属于超星系团，跨度达 5000 万光年。虽然星系团中的星系有吸引到一起的倾向，但由于宇宙不断膨胀，星系团之间和超星系团之间则越来越远离彼此，一连串超星系团之间存在巨大的真空区。

要想想象这个尺度的宇宙，需要想象穿过一堆肥皂泡沫。一层肥皂膜可能包含了一堆肥皂泡。这片肥皂膜相当于超星系团，而肥皂泡则相当于超星系团之间的空间。

随着天文学家正在对越来越深的宇宙进行测绘，我们可以在自己的地址上添加一些新的名词。我们居住在拉尼亚凯亚（Laniakea）超星系团之本星系群之银河系内。拉尼亚凯亚是夏威夷语，意为“广阔无垠的上苍”。拉尼亚凯亚超星系团有 10 万多个星系，跨度约 5 亿光年。（登录 www.vox.com/2014/9/4/6105631/map-galaxy-supercluster-laniakea-milky-way，见识其复杂外形。）

恒星的形成

在凝结形成星系的气体云中，相对较小区域内的气体凝结成为恒星，恒星各自分离，早期宇宙中，恒星之间的距离较近，现在则大了很多。

恒星的形成是这样的：有的地方，氢原子和氦原子相距比其他区域的氢原子和氦原子要近，引力把它们越拉越近。原子之间的碰撞导致温度上升。随着温度上升，电子与质子分离，原子分裂，重新形成等离子态或类似气体的状态，由于温度太高，原子无法形成。氢质子以极大的力量、极高的速度相撞，最终 4 个质子克服了正电荷的排斥，聚变形成氦核。

在聚变成氦核的过程中，4 个质子中有 2 个质子性质不变，剩下 2 个质子失掉正电荷，变成中子。正电荷分离出去，成为正电子（一种反粒子），与电子相互湮灭，释放出能量。这种碰撞就是恒星以及氢弹能量的来源——在氢弹中氢质子也发生聚合。最初 4 个质子的一部分质量转变成核能。

恒星就类似于一颗缓慢爆炸的氢弹。最初气体云的坍缩用了大约 10 万年的时间。由于恒星核心周围的物质的压力，将中心的爆炸包裹在内，因此核聚变会持续几百万年甚至几十亿年的时间。

其他事件有时也会加强恒星形成过程中的引力。一颗大恒星诞生时，会释放大量的能量，对周围氢和氦的气体云产生压缩，引发一连串恒星发生反应。有时一颗超大恒星在生命末期的爆炸（参见第 4 章）也会产生同样的效果。

一大堆氢原子中心一旦发生聚变，就形成了恒星，中心释放的能量传到原子物质的外围，恒星开始发光（即辐射）。第一批恒星发出的辐射，是宇宙中第一次集中的光线，这与遍布宇宙的宇宙背景辐射的昏暗光芒大不相同。

恒星是物质和能量自动调节的系统。氢质子核聚变释放能量，产生巨大的向外的力，而引力产生巨大的向内的力，两者相互平

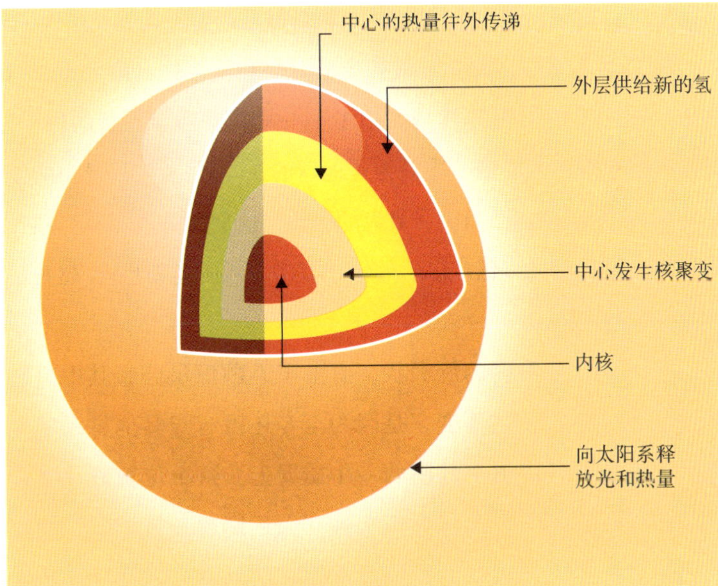

恒星（太阳）的结构

与所有恒星一样，太阳中心也发生氢原子的核聚变，外层则储存着更多氢。

衡。如果向外的能量的力稍微超过一点，恒星就会冷却，体积随之增大。这个过程会减缓核聚变，使得引力再次将恒星收缩变小，而这又会让温度升高，加速核聚变。这种负反馈环产生了所谓的“动态稳定状态”。它的工作原理就像燃气锅炉上的恒温器，室内温度一下降，火炉就会再次点燃。多数恒星都自行调节，稳定燃烧，但一些年代久远的恒星，其亮度则有规律性的变化。与星系不同，尽管自由飘浮在星系中的氢和氦比过去少很多，但今天依然有恒星正在形成。结果是，新恒星的大小和数量都随着时间推移而减少。每年，银河系中约有 10 颗新恒星产生。

恒星大小不同，取决于最初形成时氢和氦气体云的大小。恒星中，我们了解最多的就是太阳了——一颗普通、中型的恒星，直径约是地球的 100 倍，质量约是地球的 30 万倍。体积最小的恒星差不多是太阳质量的 1%，最大的恒星质量是太阳的 200 倍左右。质量相当于太阳的 6 倍或以上的恒星有潜力成为超新星。（超新星的信息参见第 4 章。）

银河系呈现美丽的旋涡状，有上千万颗恒星分布其中。它之所以能够保持形状不变，是因为至今还没有与其他星系发生碰撞。太阳位于银河系外围的一个旋臂上。这个位置可是好得很，距离中心既不太近，也不太远，太近则超新星太多，太远则超新星太少，无法产生足够更重的化学元素，以供行星和生命的形成。

太阳和它的行星绕着银河系中心的黑洞在轨道上运行。整个太阳系沿轨道运行的速度为 200 千米 / 秒（125 英里 / 秒）。虽然速度如此之快，但太阳系绕银河系旋转一周，仍需 2.25 亿年左右。以这样的速度，你觉得地球已经绕银河系中心旋转多少次了呢?（提示：你得知道太阳和地球形成于约 45 亿年前。）

不过，为什么速度如此之快，我们却感受不到呢?奥妙就在地球外围的大气层是随地球而动的。跟我们一样，大气层受地球引力的吸引。由于同样的原因，地球日复一日绕轴自转或年复一年绕太阳公转，我们都没有感觉。我们自以为坐在那里一动不动，但实际上，我们同时朝多个方向快速运动。想到这一点，你“晕地球”了吗?

之前提过，距离太阳最近的恒星是比邻星，它在 4.24 光年之外。也就是说，比邻星的光以接近每秒 30 万千米的速度，还需要 4.24 年的时间才能到达地球，而太阳光到达地球，平均需要 8 分 18 秒。（地球绕太阳公转的轨道是椭圆形的，离太阳的距离是有变化的。）

地球距太阳与地球距最近的恒星两者相比是什么情况，可以做下面这个三步走思维实验。[感谢理查德 · 道金斯（Richard Dawkins），他从约翰 · 卡西迪（John Cassidy）的《地球寻找》（*Earthsearch*）中借来了这个主意。]

1. 想象在足球场中间，放一只足球，足球代表太阳。
2. 走 25 米之后，放一粒胡椒，代表地球，与太阳相比，大小和距离都是成比例的。
3. 再想象另一只足球，稍微小点，代表比邻星。你需要把它放在 6500 千米（4038 英里）之外，这个距离相当于整个南美洲的长度。

恒星最初出现时，从某种程度上说，是完全新兴的事物。引力作用在氢原子上产生新的、更为复杂的原子结构，并将分布于本区域、稳定热点的能量流集中起来。这些恒星点产生大量的能量，将临近的天空都照亮了。它们代表了宇宙中局部秩序的快速增长。

宇宙从诞生之初就一直在膨胀，这是件好事，不然就会有大麻烦。如果恒星是在小而又不膨胀的宇宙内燃烧，整个空间的温度就会越来越高。热力学第二定律表明，局部或区域秩序的出现，必然造成别的地方的无序。（表示这种无序的专有名词是“熵”。）有些系统，比如恒星，会变得越来越有序，但代价是，别的地方越来越混乱。没有空间容纳这种无序，没有真空区倾倒多余的热量，恒星就会因产生的热量窒息，无法保持稳定。

（同样的，我们的身体会散热、排尿和粪便，这也是把无序排掉，这些是比我们摄入的热量质量更差的热量。如果人体不能散热、排泄废物，人就无法存活。）

下一章中，我们将了解恒星的生命周期——它们如何形成、存在，又如何在令人目瞪口呆的爆炸中，产生生命所需的化学元素。

今天的天文学家如何进行研究

首先，先了解一点天文学历史。在茫茫宇宙的众多星系中，我们处在其中一个星系里——对于这一点，我们仅仅知道了 90 年左右。到 1924 年末，才获得这一认识的确凿证据。

天文学家埃德温·哈勃是收集并分析此项证据的人。他使用的是当时世界上最大的望远镜，坐落在帕萨迪纳市附近的威尔逊山上，毗邻加州的洛杉矶。这架望远镜口径达 100 英寸，是由钢铁行业和慈善事业的巨头安德鲁·卡内基（Andrew Carnegie）提供经费建造的。

1917 年，望远镜建造好，可以投入使用了。那时候，天文学家能看到的最远的距离只是一些光的斑点，这种斑点叫作“星云”，或是气体云和尘埃云。之所以可见，是因为它们反射附近恒星的光。当时天文学家都在争论，这些星云到底属于银河系，还是属于银河系之外的其他“岛宇宙”。

要想解决这些争议，就必须知道这些星云距离我们有多远。哈勃将威尔逊山上的望远镜的焦点对准最近的星云——仙女座星云。这架望远镜功能强大，可以聚焦到该星云里的某颗恒星上。在那个星云里，他发现了一颗恒星的亮度呈现周期性的变化。由于这类恒星的亮度会发生变化，同时第一颗此类恒星是在仙王星座（Cepheus）被发现的，因此英语中将其称为“Cepheid variable”，即“Cepheid 变星”，中文是“造父变星”。（星座指的是人们根据自己的主观判断，将若干恒星看成是一个群体。）

早前，天文学家已经观测过造父变星，了解到这种恒星亮度变化的周期越长，恒星的实际亮度就越大。哈勃发现的造父变星的周期是 31.45 天，这意味着它的亮度是太阳的 7000 倍。哈勃将表观亮度（非常弱）与实际亮度进行对比，估算出距离有 90 万光年——这太远了，不可能是在银河系之内。哈勃说服了其他天文学家，让他们认识到造父变星一定存在于另一个星系内。现在，天文学家估算出仙女座距离我们 249 万光年。

今天的望远镜比哈勃在威尔逊山上用的那台强大多了。目前，天文学家正在绘制可视宇宙的星系地图，这个计划名为“斯隆数字巡天”（SDSS）。该计划始于 2000 年，现在仍在进行，由艾尔弗·斯隆基金、美国国家科学基金，还有很多机构提供资金支持。它用到了两台地面望远镜，一台是斯隆基金望远镜，位于新墨西哥州西南部的阿帕奇岬天文台。另一台是伊雷内·杜邦望远镜，位

埃德温·哈勃

探索遥远恒星的先锋

威尔逊山天文台的天文学家哈勃证明还有其他星系存在，而且宇宙正在膨胀。

埃德温·哈勃在天文学领域做出了两个巨大突破，他证明了银河系之外还有其他星系，还发现了星系正在互相远离的证据，这意味着宇宙在膨胀。

哈勃比阿尔伯特·爱因斯坦小10岁，在美国伊利诺伊州的惠顿（芝加哥郊区）长大，是一位天才运动员。垒球、足球和跑步样样都擅长，但也耽误了高中学习。然而，校长发现他天赋异禀，给了他一份奖学金，送他到芝加哥大学学习。哈勃在芝加哥大学学习了数学和天文学，随后他获得罗氏奖学金，到英国牛津大学学习。但是就在那时候，从事保险行政工作的父亲生命垂危。由于父亲希望他日后当律师，于是哈勃在牛津大学选择了学习法律。

回国后，哈勃发现他根本无意从事法律职业。在高中教了一年课后，为了成为一名职业天文学家，他开始重新读研究生。1917年，他获得了芝加哥大学的博士学位，论文题目是《微弱星云的照相调查》。

1919年，哈勃在威尔逊山天文台谋得一份职位，并在那里度过了余生。在5年时间里，哈勃对仙女座星云中一颗明亮的恒星的距离做了充分的研究，足以说服当时的天文学家，仙女座距离已经足够远，应该是另一个星系，而不是银河系的一部分。

随后，哈勃发现了证据，表明宇宙不是静态的，而是在不断膨胀。他借助分光镜研究来自遥远恒星的光。1929年，他意识到，除了我们的本星系团外，所有的星系都在远离彼此。而且，星系越远，退行速度越大。天文学家称这一现象为“哈勃定律”——星系远离彼此的速度与它们之间的距离成正比。（参见第 4 章，详细了解分光镜的工作原理。）

宇宙膨胀的假说，导致产生了“大爆炸”假说。（后者是别人提出的。）相比理论研究，哈勃更擅长观测实践，他所做的天文观测起到了至关重要的作用。他著有《星云世界》（*The Realm of the Nebulae*，1936），在书中概述了自己的工作，颇受读者欢迎。

哈勃 63 岁时，因心脏病发作（或大脑血栓）辞世。他的夫人从未向外人公布其埋葬地点。为了纪念他，2008 年发行了面值 4 美分的邮票，还以他的名字命名了“哈勃空间望远镜”。

于智利北部的拉斯坎帕纳斯天文台。这两处选址，都是尽可能地远离光污染。（登录 www.sdss.org，查看大尺度宇宙的精彩图像。另请参看 http: //map.gsfc.nasa.gov/universe/uni。）

为了解决陆基望远镜的问题（恒星的光会受到大气层的干扰，导致看起来星光闪烁），天文学家开始设计能够在大气层上方绕轨道运行的望远镜。20 世纪 60 年代的时候，火箭开始搭载这类望远镜进入太空。

1990 年，美国国家航空航天局和欧洲航天局合作发射了哈勃空间望远镜（HST）。这颗卫星的大小差不多相当于一辆校车，在地球上方 600 千米（372 英里）处绕轨道运行，每小时约运行 2.8 万千米（1.7 万英里），每 97 分钟绕地球一圈。在探测可见光图像

哈勃空间望远镜

哈勃空间望远镜收集的数据，为人类了解太阳系和宇宙的知识做出了巨大贡献。2016 年哈勃空间望远镜仍处于工作状态，而且有可能维持到 2020 年。

方面，它比最好的地面望远镜敏锐 5 倍，此外还能探测紫外线波长和一定范围的红外波长。当其零件出现老化时，可通过航天飞机执行任务更换。（参见 www.spacetelescope.org/about）2016 年哈勃空间望远镜仍处于工作状态，而且有可能维持到 2020 年。

美国国家航空航天局、欧洲航天局和加拿大太空局（CSA）计划于 2018 年 10 月发射詹姆斯·韦伯空间望远镜（JWST）。它的造价高达 85 亿美元，能够探测到的范围比哈勃望远镜深入 100 倍。预计可工作 5 ~ 10 年。

天文学家尼尔·德葛拉司·泰森（Neil deGrasse Tyson）把最前沿的有关星系和恒星的知识带给更多大众。

知识前沿的疑问

关于星系和恒星及其形成过程，还有很多问题有待解答。下面列举几个：

- 什么是“暗物质”？20 世纪 70 年代，天文学家薇拉·鲁宾（Vera Rubin）与同事的新发现震惊了天文学界。分布在星系盘中的所有恒星，不管离中心多远，看起来都是绕着星系中心，以差不多相同的速度沿轨道运行。恒星运转的速度，比摆脱引力控制所需的速度快得多——按说星系应该会飞散，但是并没有。因此，天文学家断定，一定有某种看不见的物质，将星系聚合在一起。

暗物质不释放电磁辐射，无法用现有设备探测到，只能通过其引力效应间接推测到。“暗”是科学术语，意为“看不见”。暗物质不发光，也不与普通物质相互作用，只有其引力是明显存在的。

天文学家认为暗物质在星系的形成过程中起了一定作用。今天，暗物质加快了恒星的旋转速度，不然不会这么快。它们包围在星系四周，就像幽灵面纱一样。因为天文学家能够看到，来自更遥远的物体的光线在接近星系的地方经过时会发生弯曲，所以

尼尔·德葛拉司·泰森

宇宙的召唤

泰森是一位天体物理学家，他通过收音机、电视和位于纽约市的海登天象馆，把宇宙带到普通大众面前。

泰森出生于纽约市曼哈顿区的一家医院，一家人住在布朗克斯（纽约最北端）。母亲叫桑琪塔·费利恰诺·泰森（Sunchita Feliciano Tyson），属波多黎各人血统，是老年人问题方面的专家，父亲名为西里尔·格拉赛·泰森（Cyril deGrasse Tyson），是非洲裔美国社会学家和教育家。

尼尔在家里的 3 个孩子中排行老二。父母给他们介绍纽约市的文化财富，包括海登天象馆（隶属美国自然历史博物馆）。

当时，尼尔 9 岁，第一次见到了夜空。那次观察对他影响巨大，后来他说道："我很确定在这件事上，我别无选择，实际上，是宇宙在召唤我。"（罗杰·宾汉采访泰森，www.haydenplanetarium.org/tyson/read/2009/07/23/called-by-the-universe。）

泰森念的是公立小学，高中也是公立的——布朗克斯科学高中。（这所高中已经培养了 7 位诺贝尔物理学奖获得者。）他对天文学相当痴迷，高中时候还去上海登天象馆的课程，加入了纽约业余天文学会。他订阅了《科学美国人》杂志。他在该杂志的"作者简介"栏目里数出了哪家大学的天文学家最多。答案是哈佛大学，于是他就去了那儿。

泰森在哈佛大学学习物理，之后在得克萨斯大学奥斯汀分校学习天文学，1991 年获得哥伦比亚大学天体物理学博士学位。他研究的是恒星的形成和演变，还有星系和星系突起。

泰森在普林斯顿大学谋得了教职，还在海登天象馆兼职，在那儿，他设计了天象馆的翻新工

作，于 2000 年完工。他把行星重新分组，而不是简单地按数字排列，他还将冥王星与其他小型冰块组成的物体归为一组，而不是与其他气体巨行星归在一组。这一举动引来了许多人的抗议，尤其是儿童。2006 年，国际天文联合会确认了泰森的判断，将冥王星归类为矮行星。

除了恒星，泰森还喜欢文学。他曾说过，他的第二最爱职业，是去给百老汇音乐剧创作歌词。他主持过很多广播和电视节目，包括 2014 年（美国公共广播公司 PBS）的节目《宇宙：时空奥德赛》，是卡尔·萨根的著名节目《卡尔·萨根的宇宙》（*Cosmos：A Personal Voyage*，1980）系列的升级版。泰森现担任海登天象馆的馆长，他与妻子爱丽丝·杨（Alice Young）和两个孩子米兰达、特拉维斯，住在下曼哈顿区。

我们知道暗物质使得星系周围的空间扭曲变形。

暗物质是现代宇宙学领域和粒子物理学领域的核心之谜。不管它到底是什么，据估计暗物质构成了宇宙万物的 25% 左右。目前，科学家正在借助地下深处的隧道，并在大型强子对撞机中寻找暗物质。揭开暗物质的谜团能够让我们在理解引力或物质方面引发一场革命。

- 另一个核心谜题是“暗能量”，这是一种看不见的能量，使空间以加速度向外延伸。1998年的测量发现，相比之前，距离遥远的物体的远离速度加快了。这种运动意味着宇宙膨胀的速度在加快。这一观察震惊了物理学家和天文学家，但测量结果经受住了检验。加速好像始于50亿年前，或更早些。某种未知能量构成了宇宙的70%左右，使得宇宙逐渐分开。

- “黑洞”和“类星体”是另一个充满不确定性的领域。黑洞很难研究，因为其密度极大，因此引力也极强，任何物质、能量，甚至光都无法从中逃脱。因此，天文学家无法直接观察黑洞。他们只能根据它对其他物体的引力效应，推断黑洞一定存在。

星系和恒星最初是如何形成的，至今尚未完全明了。一种说法是，随着物质聚集，假如物质的质量小于太阳质量的200倍，就会形成恒星。如果聚集的物质质量大于太阳的200倍，就会形成黑洞。

目前天文学界一致的观点是，大多数星系的中心位置都存在特大质量的黑洞。据估计，银河系中心的黑洞质量约为太阳质量的430万倍。

关于黑洞有一个谜团，就是它的大小呈现两个极端。小的黑洞，质量约为太阳质量的4到24倍。特大质量黑洞则是太阳质量的数百万倍（假如不是数十亿倍的话）。这些特大质量的黑洞是如何形成的？

一种假说认为在早期宇宙中，一连串的恒星反应，吸引彼此，形成了大质量的恒星。后来，这些恒星就形成了中等大小的黑洞，沉到所处星系的中心，又将附近的恒星吸引进去。

要想“看看”黑洞，请登录：www.hubblesite.org/explore astronomy/black_holes 与 http: //science.nasa.gov/astrophysics /focus_areas?black_holes。

类星体是“类似于恒星的物体”，或者说几乎是恒星。目前天文学家一致认为，类星体是围绕中心黑洞的区域。由于大多数类星体都在 100 亿光年之外，所以多数类星体都形成于宇宙早期。

类星体看似是黑洞附近正被吸进去的物质。物质转换成极高的能量，发出大量辐射，所以类星体看起来就像是宇宙中最明亮的物体。由于几乎完全不存在更近期的类星体，科学家认为，这意味着黑洞将星系中心，即黑洞周围的星系气体，都给吸收殆尽了。

恒星和你

时值 6 月，夜空晴朗，没有帐篷，只有一个睡袋，我在加州北部的沙士达山（Mount Shasta）山顶附近找了一处雪沟，睡了下来。搭帐篷的时候，我们还没把木桩砸好，大风就把帐篷吹跑了。在那个晴朗的夜晚，银河系仿佛近在咫尺。回到伯克利后，城市灯光太过明亮，根本领略不到银河系的壮美。

在城市出现之前，星星对人类来说无比重要。早期人类或许还未意识到，天地是彼此分离的。安第斯山脉的米斯马内村的村民，今天依然将银河系看作维尔卡诺塔河延伸到了天上，河水从天上到地上循环流动。安第斯山脉中部的原住民讲盖丘亚语，在他们的语言中，银河系叫“Mayu”，意为“河流”。

我们体内的每一颗原子，在形成我们之前，几乎一定都穿越过一颗或者多颗恒星。严格说来，你我都是由星尘组成的。这到底是怎么回事，看下一章你就明白了。

让我们回到本章一开始提出的问题：宇宙中的物质是如何分布的？你能大体描述一下星系和恒星在太空中是如何分布，又是如何形成的吗？

继续探索

初级

www.bighistoryproject.com

中级

Hazen，Robert M.，and Trefil，James.（2009）. *Science matters: Achieving scientific literacy*. New York：Anchor. [Chaps. 8 & 10].

Tyson，Neil deGrasse.（2004）. *The sky is not the limit: Adventures of an urban astrophysicist*. Amherst，NY：Prometheus Books.

高级

Sagan，Carl，and Druyan，Ann.（2013）. *Cosmos*. New York：Ballantine Books.

Tyson，Neil deGrasse.（2014）. *Origins: Fourteen billion years of cosmic evolution*. New York：W. W. Norton.

Tyson's *Cosmos: A Spacetime Odyssey* can be ordered at Foxshop.com.

网址

http: //www.cfa.harvard.edu/seuforum/howfar/howfar.html　哈佛大学天体物理学中心，围绕宇宙有多大展开时空探索之旅。

www.vox.com/2014/9/4/6105631/mapgalaxy-supercluster-laniakea-milky -way　资讯网站，提供拉尼亚凯亚超星系团的地图。

www.sdss.org　斯隆数字巡天，提供大尺度宇宙图片。

http: //map.gsfc.nasa.gov/universe/uni_expansion.html　NASA 的文章"宇宙膨胀有多快"（How Fast is the Universe Expanding）。

www.spacetelescope.org/about　网站实时更新哈勃太空望远镜的资讯及相关信息。

http: //science.nasa.gov/astrophysics　NASA 科学网站，天体物理学版块可查询黑洞信息。

www.hubblesite.org/explore_astronomy/black_holes　该哈勃网站提供更多黑洞信息。

www.haydenplanetarium.org/tyson/read/2009/07/23/called-by-the-universe　2009 年对泰森的采访，他在其中讲述了宇宙对他的召唤。

4

Threshold 3: Complex Atoms —— How Stars Forge Elements - (13.7 billion years ago to now)

第4章

临界点3：复杂的原子——恒星如何锻造元素（137亿年前到现在）

大历史讲到这儿，现在存在的原子只有氢、氦和少量的锂。其他类型的原子从何而来？自然界天然生成的原子有92种——宇宙是如何制造它们的呢？

化学元素的性质

像往常一样，我们需要从最基本的定义开始说起，这样我所说的句子的含义才能明了。化学是研究原子如何结合生成新的物质的学科，本章就会用到一些化学术语。

化学家用“元素”或“化学元素”指仅由一种原子组成、未与其他原子结合的纯物质。原子由原子核和围绕原子核运动的电子组成，是元素的最小微粒。原子序数（原子量）是指元素在周期表中的序号，数值等于原子核中的质子数。

氢（原子序数是 1）和氦（原子序数是 2）为基本元素。更为复杂的元素有碳（原子序数是 6）、氧（原子序数是 8）、钠（原子序数 11）和氯（原子序数 17）等。

了解完整的元素列表，请查看“元素周期表”。元素周期表是俄罗斯化学家德米特里·门捷列夫（Dmitri Mendeleyev，1834—1907）于 1869 年首创的。门捷列夫发现，随着质子的增多，相似的元素特性有规律地重复出现。铀（原子序数 92）以下的原子，都是天然生成的。物理学家借助粒子加速器，可以产生原子量超过 92 的原子，但是由于这些原子的原子核太大，质子无法长时

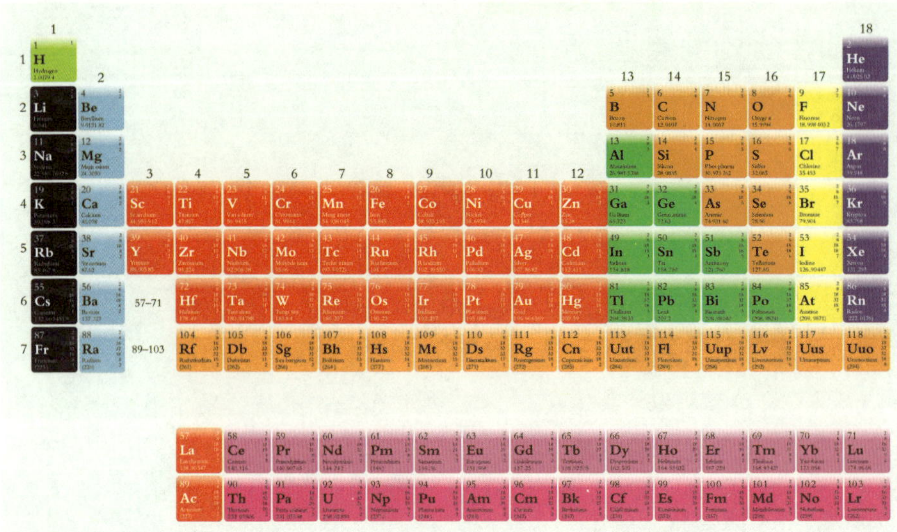

元素周期表

每个方格代表一种元素，从左至右，原子序数越来越大。表格中，具有相似化学行为的元素，置于同一竖列。之所以出现这种情况，是壳层容纳电子的方式造成的。

间聚集在一起，因此这样的原子很快就会分裂。

有时一个原子的核内中子数与质子数相同。但有时，中子数与质了数不同，这类原子叫作同位素。

我们周围看到的大部分物质都不是元素，而是化合物。2个元素以上的原子结合，化合物就产生了。举个简单例子，水就是由2个氢原子和1个氧原子组成的化合物。分子是2个及以上的原子构成的，甚至是相同元素的原子。有些分子由几百个原子构成，以特定的方式结合在一起。

我们呼吸的氧气就是氧分子，由2个氧原子构成。3个氧原子构成的分子叫作臭氧。虽然臭氧对人体有害，但是它在地球大气层上形成了臭氧层，可以保护地球上的生物免受紫外线的伤害。

几乎完全相同的同卵双胞胎

某种元素的每一个原子核内的质子数都是特定的。而核内质子数也决定了其为何种元素。中子数与质子数，有时相同，有时不同。一般说来，原子序数越高，中子数越多。如，铀有 92 个质子和 146 个中子。由于强力因距离增加衰减的速度要比电磁力衰减的速度快得多，因此，原子核越大，就需要越多的中子来做“黏合剂”。

中子数不同的原子，被称为某种元素的同位素。同位素是具有不同中子数的、相同元素的原子。质子数加中子数，叫作元素的原子量。元素的原子量标注在化学符号左上方，但为了输入方便，通常写在右侧，比如 C–12，指的就是有 6 个质子和 6 个中子的碳。

目前已知碳有 15 种形式，或说 15 种同位素。最常见的是 C–12 和 C–13，意为具有 6 或 7 个中子的碳。这两种非常稳定，不会丢失中子。碳还有另外 13 种同位素，范围从 C–8（6 个质子，2 个中子，核内粒子总量为 8）到 C–22（6 个质子，16 个中子）。

92 种元素中，有 81 种元素的同位素都是稳定的，不会随时间而发生变化。剩下的元素叫作放射性元素，会随时间衰变。衰变的过程中，原子核以多种不同方式释放辐射，失去能量。原子核衰减一半的速率叫作该元素的半衰期。

C–14 是重要的同位素的典型，有 6 个质子和 8 个中子。植物生长的过程中，在吸收空气中的二氧化碳的时候会吸收少量 C–14。动物吃掉植物后，也会吸收 C–14。动植物死后，体内 C–14 的半衰期需要 5730 年，也就是说，体内一半的 C-14 同位素会每隔 5730 年发生衰变。

20 世纪 40 年代，加利福尼亚物理学家威拉德·利比（Willard Libby，1908—1980）发现，测量出死亡有机体内的 C-14，并将其与活的有机体内的 C-14 进行比对，就能得出前者的死亡时间。如果有一半的碳原子仍然是 C-14，另一半已经衰变，那么此有机体就已经死了 5730 年。如果四分之一的碳原子仍然是 C-14，剩下的四分之三已经衰变，那么此有机体就已经死了 11460 年。借助这个方法，可以判断一直到 5 万年前的有机物的年龄——这是研究事物的年龄方面的关键发现，正是这种年代测定的技术使得叙述“大历史”成为可能。

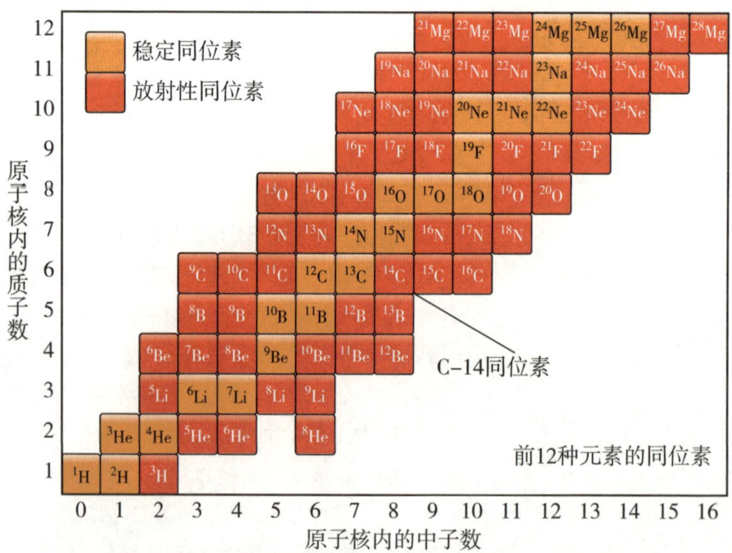

前 12 种元素的同位素

本表列出了前 12 种元素的中子数的不同情况。表中也显示了哪些同位素稳定，哪些不稳定。

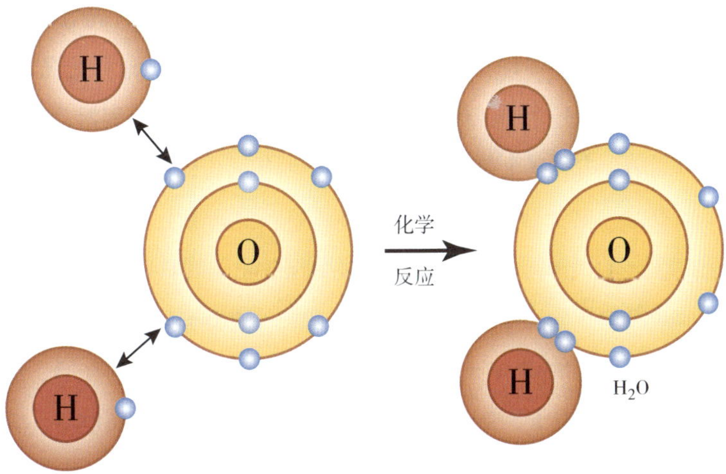

共价键

水（H_2O）就是“共价键”化合物，说得直白一点，就叫“共享键”的化合物。由于氧原子外壳层只有 6 个电子，因此 2 个氢原子，每个都能给氧原子提供 1 个电子，把氧原子的外壳层填充完整。

原子是如何结合的？还记得原子的构成吗？小小的电子绕着硕大的原子核旋转，两者之间有很大的空间。电子绕原子核运动的轨迹，就跟一系列的 3D 走廊似的，也就是壳层。第一层容纳 2 个电子，第二、三层，每层容纳 8 个电子。具有完整壳层的元素是最稳定的。如果最外一层不满，电子就会从一个元素的壳层跳到另一个上去。化学反应就是电子的重新排列，这一过程就是原子核之间的化学键形成或断开的过程。化学是研究电子及其在化学键形成或断开过程中的相互作用的科学。

在化学反应中，原子以多种方式结合。有时，一个原子的电子也会绕着另一个原子核旋转，为相邻的原子共有。这种情况下，电子受到不止一个原子核的正电荷吸引，大体在两者之间活动。这类电磁结合力将多个原子结合在一起，叫作共价键。

有时，电子会从一个原子转移到另一个原子上。就拿食盐来说，含有 11 个电子的钠原子，最外一层的电子转移到一个氯原子上，而氯原子含有 17 个电子。这样一来，钠原子只剩 10 个电子，而氯原子则有 18 个电子——对两者来说，都有了完整的壳层。钠原子失去 1 个电子，带有了正电荷。而氯原子就带有了负电荷，所以二者相互吸引。这类化学键叫作离子键。

恒星的生命周期

恒星也有生命。虽然我们并不认为恒星像地球上的生物体那样有生命，但是我们仍然用“出生”和“死亡”等词来谈论恒星。

恒星的“生命”取决于最初形成它的物质云的大小。质量最小的恒星差不多是太阳质量的 0.01 倍，而最大的能达到 200 多倍。恒星质量越大，燃烧速度越快。质量最大的恒星仅能维持 1.25 万年左右，而最小的则能存在约 16 万亿年。

天文学家无法观察任何单一恒星的整个生命周期，因为天文学家活不了那么久。但天文学家可以观察很多恒星，每一颗都处于不同的发展阶段。有些是刚刚形成的“恒星宝宝”，有些则是中年恒星，比如太阳，有些年纪大了，行将灭亡，比如 50 亿年后的太阳。

恒星生命中的大部分时间都在稳定地燃烧氢，将其转化成氦。这个过程叫作核聚变。由于恒星中心的温度极高，4 个氢原子中的质子结合起来（熔合），这样就形成了氦元素，氦核中有 2 个质子和 2 个中子。4 个质子中的 2 个质子会释放出正电荷。根据爱因斯坦的著名方程，这样一来，质子的一小部分质量转化成大量的能量，这些能量以光子的形式进入空间。

随着恒星燃烧，会耗尽氢原子。向外的能量流一停止，引力就开始超过向外的力，接下来会发生什么，取决于恒星的大小。

如果恒星较小，核心会坍缩，外层散入空间。核心会变小，温度上升，成为白矮星，继续燃烧一段时间。慢慢地，白矮星的温度会降低，最终变成灰烬，成为黑矮星。这颗死亡的恒星会在宇宙空间飘荡。

如果恒星体积较大，核心坍缩时，外层温度会升高到足以继续发生核聚变，该恒星就会变成红巨星。核心的温度会上升到足以使氦原子聚合成铍，而铍只能存在不到一秒的时间，随后便与另外一个氦核聚合，形成碳。

氦耗尽后，恒星核心会再次发生坍缩。如果质量不足以继续，恒星就会爆炸，将碳原子散播到宇宙空间；如果质量足够，其核心温度就会上升到足以使碳原子融合成氧，然后融合成硅。在这个连续的核聚变过程中，每个后续阶段消耗的时间都会更短。

比方说，比太阳质量大很多的恒星，可能要用几百万年的时间耗尽氢，然后用 50 万年左右的时间聚合成氦，然后用 600 年的时间融合形成碳，6 个月融合形成氧，仅用 1 天融合形成硅。

只要恒星有足够的质量，这个过程就会循环往复，温度也越

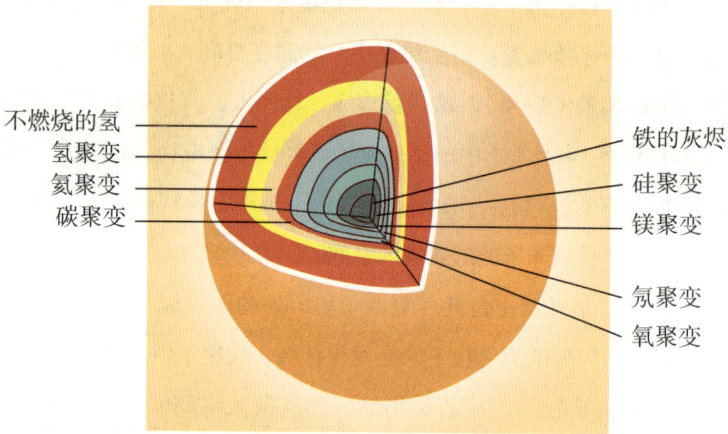

大恒星内部新元素的形成

这幅图显示的是一颗古老的巨大恒星的多个层在发生核聚变。当恒星的核心开始产生铁时，恒星就会坍缩，而且如果质量足够，就会发生超新星爆发。

来越高。最终，一颗有足够质量的恒星，不同的层会消耗不同的燃料，以难以想象的高温燃烧。温度达到约 40 亿摄氏度（约 104 亿华氏度）时，恒星开始制造出铁（原子序数 26）。

之后，恒星到达终点。铁是最稳定的元素，它的核不会聚合。因此，通过原子核的聚合（核聚变）产生新元素的过程也就到此为止了。随着燃料耗尽，不再有能量流来抵消引力。随之而来的快速坍缩会释放大量能量，行将死亡的恒星会发生剧烈爆炸，这种爆炸被称作“超新星爆发”。

超新星

超新星是指某个超级巨大的恒星，在生命末期发生的剧烈爆炸。超新星一个月左右的时间释放的能量，比太阳终其一生释放的能量还要多。超新星爆炸威力巨大，能将新类型的原子散播到整个星系。

假如距离地球 500 光年以内发生超新星爆炸，那我们就都会被烤焦。但是，宇宙那么大，多数超新星距离我们太远，它的光到达地球时，也只是闪烁一下。天文学家给我们吃了一颗定心丸，据他们观察，没有离地球很近的超新星能把我们变成烧烤。（科学家认为，《圣经》上记载的 2000 多年前耶稣诞生时，天空中出现的明亮星星，或许就是一颗超新星。）

距离地球足够近、能让肉眼看到的超新星并不多。一次发生在 1054 年，中国的天文学家看到了。但欧洲历史上并没有相关记载。借助望远镜我们依然能够看到它的残留，叫作“蟹状星云”。（参见 http: //www.spacetelescope.org/images/heic0515a/）

1987 年在地球上看到的超新星，是肉眼能够看到的最近的一次超新星爆发，在南半球仅凭肉眼刚好能看到。这次超新星爆发发生在临近的一个较小的星系——大麦哲伦云，距离地球 16.9 万光年。由于它的光到达地球需要 16.9 万年的时间，因此我们看到的是 16.9 万年之前发生的事。由于这是自望远镜发明以来，第一次肉眼能看到的明亮的超新星爆发，所以天文学家都格外兴奋。

在中等大小的星系，一世纪才会发生一次超新星爆发。因此，天文学家颇费了一些时间进行观察，才搞明白它们到底是什么。

罗素·热内

自动观星者

罗素·热内（Russell Genet）是一个自学成才的研究者，他能用小型的、便宜的电脑控制望远镜。

罗素·热内喜欢探索宇宙，但不喜欢长时间坐在板凳上，枯燥地观察恒星，收集来自遥远恒星的光子。

为了解决这个问题，他发明了首个具有全自动望远镜的机器人天文台，由微型计算机控制。

为了实现这一点，热内循着自己的兴趣，试了很多方法。他在加利福尼亚尤凯帕的大牧场长大，那儿离帕洛马山天文台很近，能看到天文台的望远镜的圆顶的反光。他的祖父母住在威尔逊山脚下，每年夏天，他都在那儿待一个月，他们经常在威尔逊山天文台的空地上野餐。

8 岁那年，热内用一台显微镜、一个放大镜和一个桂格燕麦盒，制作了他的第一架望远镜。借助那架望远镜，他能看到月球表面的环形山和木星的卫星。

1964 年，热内在俄克拉荷马州大学取得电气工程理学学士学位。之后，他就开始追求自己的所爱：火箭、飞机和女人。他设计了火箭和飞行器的制导系统，还接受了飞行培训。1980 年，他在空军技术学院获得了后勤管理的硕士学位，研究飞机和火箭的计算机模拟模型。

同时，热内在俄亥俄州的费尔伯恩搭建了一个天文台，后来为了观察得更清晰，将其迁至亚利桑那州的霍普金山。1983 年，他和同事路易斯·博伊德（Louis Boyd）研制出首架全自动望远镜，由计算机操控的机器人对恒星亮度的变化进行精确的光学测量。打开计算机，定位好恒星，就可以自动拍摄照片，这样在寒夜里，天文学家再也不用熬夜守在望远镜前了。

1987 年，南半球出现了超新星之后，热内写了本书：《1987A 超新星：天文学的爆炸性谜团》（*Supernova 1987A: Astronomy's Explosive Enigma*）。他还给 PBS（美国公共电视网）做了一期 1 小时的节目，内容是关于自动化天文台的，名为《完美的观星者》（*The Perfect Stargazer*, 1993）。

谢丽尔·琳达·戴维森（Cheryl Linda Davidson）是热内少年时期的心上人，二人后来终于重逢，2001 年 11 月 17 日步入婚姻殿堂。同年，热内还取得了天文学博士学位，他们一起在加州圣玛格丽塔附近建立了猎户座研究所和天文台。圣玛格丽塔距海边 30 多千米（约 20 英里），能够避开海上雾气的干扰。他们的房子不大，旁边还有一个小型天文台，里面配备先进的望远镜。

到了这时候，身为天文学家的热内的视角已经变得更广阔了，开始关注到人文领域。他写了一本面向普通大众的书，讲述宇宙和人类进化，关注人类的未来命运。该书于 2007 年出版，题为：《人类：即将成为蝼蚁的黑猩猩》（*Humanity: The Chimpanzees Who Would Be Ants*）。

热内和谢丽尔每年冬天都前往夏威夷瓦胡岛的怀厄奈过冬。其余月份他们都待在圣玛格丽塔，一边在奎斯塔学院教书，一边观察短期出现的食双星现象（两颗恒星连在一起）。罗素还是加州州立理工大学的研究学者，在那儿设立了一个本科研究项目。谢丽尔负责柯林斯基金会出版社（柯林斯教育基金会的出版部门）的管理工作。罗素和谢丽尔定期举办会议，把科学家和人类学家召集起来，一起研讨。

热内才华横溢，喜欢骑自行车、划皮艇、开飞机、弹琴、写书等等。他敢于追求自己的兴趣，生活过得很好，同时也为人类做出了杰出贡献。下面是他对未来的看法：

“我认为，人类注定是要离开生于斯长于斯的地球，离开我们所在的这一方小角落，去往银河系的其他恒星系统，或许最终还能遍布整个银河系。太阳只剩下短短的 50 亿年时光，我们注定要比它活得更长久。宇宙还很年轻，我们也很年轻，宇宙的未来就在我们眼前展开——这场巨大的盛宴，人类将世世代代品味下去。”（www.orionobservatory.org/About%20Russ.html）

20 世纪 30 年代，洛杉矶加州理工学院的天体物理学家弗里茨·兹威基（Fritz Zwicky），创造了英语中的“超新星”（supernova）这个新词，但直到 1957 年，剑桥大学的弗莱德·霍伊尔（Fred Hoyle）才与他人合作弄明白了更重、更复杂的原子是如何在超新星爆发中形成的。

超新星爆发时，其中心坍缩成极度致密的物质。（英裔美国科普作家比尔·布莱森说，即便我们想象把 100 万颗炮弹压缩成弹球大小，依然接近不了那个密度。）由于超新星核心温度极高，电子与质子融合，形成中子。

超新星爆发不是通过核聚变，而是通过中子捕获产生比铁（原子序数 26）重、一直到铀（原子序数 92）的元素。在极度的高温状态下，许多质子与电子融合形成中子。这些多出来的中子与核内剩余的质子结合。然后多余的中子衰变（失去电子）形成多余的质子，于是形成更重元素的核。

重元素的产生是在非常罕见的超新星死亡时非常短的时间内发生的，前后也就 15 到 30 分钟。这也解释了重元素为何那么罕见。即便是现在，经过了几十亿年不断的超新星爆发，氢和氦依然占全部原子的 98%。在剩下的 2% 中，最常见的是原子量从氢和氦以上一直到铁的元素，是濒死恒星内发生的核聚变产生的。其他元素，那些比铁还重的，则极为稀少。随着更多恒星的坍缩和爆炸，比氢和氦重的元素，会继续增多。

讲到这儿，大家应该知道濒死恒星在大历史中为何是一个临界点或转折点了吧。早期宇宙膨胀并冷却得太快，重元素来不及形成。而恒星核心的高温则为重元素的产生提供了所需的能量。这些重元素能够以不同的方式结合，形成全新的、意想不到的物质。最终，它们结合形成了有生命的东西。假如宇宙中仅存在氢和氦，那么宇宙中也就没有什么故事了。我们生活的宇宙变幻莫测，在宇宙历史进程中的关键临界点，都会经历意想不到的变化。

化学是研究原子如何结合形成新材料的学科。下一章我们会一起来了解地球表面是如何成为供化学反应发生、组合形成许多新元素的绝佳环境的。

超新星天文化学家研究什么呢？

光是宇宙中的伟大奥秘之一。还记得第 2 章中我们对光的定义吗：没有质量的能量。科学家称之为电磁辐射，即以波的形式在真空中传播的电场和磁场。光的传播不需要任何物质媒介。而且，如果光穿过物质媒介，比如玻璃，它的速度会慢下来。

阿尔伯特·爱因斯坦证明，光可以理解为在真空中传播的波，速度恒定，每秒几乎是30万千米（约18万英里）。他还指出光也可以理解成一个个独立的能量包，即能量的粒子。但实际上，他证明了光既不是粒子，也不是波。它到底是什么要看具体的环境。正是从这个想法出发，爱因斯坦打开了量子世界“无常”的大门。

早于爱因斯坦很久，牛顿第一个证明了光包含不同的颜色。光经过三棱镜（三角形玻璃）后，其波长会被分散开，呈现不同颜色组成的光谱。光谱中波长最长的是紫色（红色），中间是绿色，波长最短的是蓝色。

要想研究来自恒星的光，由于光源太远，星光比地球上的光要弱得多，必须得发明比棱镜更复杂精密的仪器。1814年，德国玻璃工人约瑟夫·冯·弗劳恩霍费尔（Joseph von Fraunhofer, 1787—1826）就发明了这样一种仪器，叫作“分光镜”。现在，人们把分光镜装在望远镜上，观察者可以看到来自恒星的可见光被分散成不同的波长。这一进步使天文学转变成了天体物理学。

借助分光镜，科学家研究发现，来自遥远恒星和行星的光，与地球上的光包含相同的颜色。跟有些人猜想的一致，在其他行星和恒星上，也不存在任何新的颜色。

但是分光镜所呈现的光谱颜色确实带来了出人意料的新发现：吸收线。这是一种有着奇怪模式的细黑线，出现在光谱中的特定位置。它们看起来就像是在商店购买的商品包装上的条形码。虽然来自恒星的光与地球上的光具有同样的彩虹中的色彩，但恒星光中还多出了暗色的吸收线。（参见 http: //astronomy.swin.edu.au）

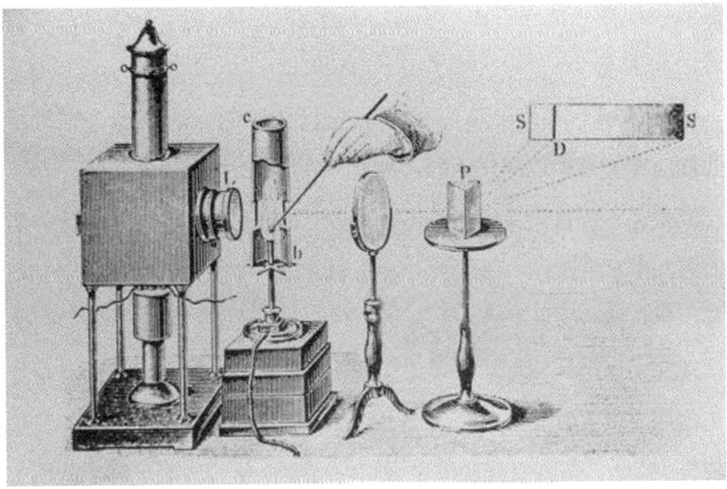

1900 年左右的分光镜

观察者借助分光镜，能够通过透镜和棱镜看到燃烧的元素产生的气体。光谱中的黑色线条和其他颜色形成鲜明对比，可以确定是哪种元素。从光谱可以看出，钢瓶中燃烧的元素是钠。

进一步的研究表明，地球上的光也有暗色的吸收线。通过研究地球上的光的“条形码”，科学家发现，造成“条形码”的是不同的化学元素。比如，钠就会在光谱中的黄色部分显示出明显的吸收线。

每一种元素因其电子轨道不同，都会对光产生特有的效应。每种元素的原子都会产生由线条、间隙和颜色构成的特色鲜明的“条形码”。这就意味着，不论是哪颗恒星，天文学家通过观察它发出的光，就能确定上面存在哪些元素。结果，他们发现恒星并不都是一样的，这让他们感到非常吃惊：有些恒星包含的元素与其他恒星并不相同。由于每颗恒星都会共同具有几种不同的元素，其吸收线往往乱作一团。不过，观察者已经找到了理清这些吸收线的方法。

在地球上以及银河系中的恒星上，因存在不同元素造成的吸收线，在光谱中以同样的形式排列。

然而，等待天文学家的还有另一个惊奇。19 世纪末的时候，当时天文学家维斯托·斯莱弗（Vesto Slipher，1875—1969）正在亚利桑那州弗拉格斯塔夫市的一个天文台工作。他发现，星云的谱线排列，呈现向光谱中红端移动的现象。吸收线的排列模式相同，但是位置与预期的位置看起来似乎出现了移动。如果吸收线朝向红端（波长较长）移动，那就意味着该星云正在远离地球。如果吸收线朝向蓝端（波长较短）移动，那就意味着星云正在接近地球。而谱线间隔的模式则保持不变。吸收线朝红端移动的现象叫作“红移”。

红移意味着什么？这是多普勒效应的一种表现。这种效应在声波中的表现大家比较熟悉。

光和声音都以波的形式传播，波峰与波峰之间的距离就是波长。波的频率是指单位时间内出现的波峰数。

声音传播的速度比光慢得多。这一点通过观察一下看到闪电之后多久听到雷声就能了解。如果发生闪电的地方很远，看到闪电几秒钟之后，雷声才传过来。

朝你开过来的救护车或警车的鸣笛声听起来声调更高一些。一旦从你身旁经过，其声调就降低了。之所以会这样，是因为拉着警报声的车辆朝你前进的时候，声波会被推得更紧密（短），而离开之后，声波则被拉得更长。换句话说，声波的频率发生了改变，而你的耳朵感知到了前后之间的差异。

光波也有类似的效应。光在远离我们的时候，其波峰的频率被拉长，被拉伸到偏向波长更长的红色。如果是朝我们接近，波长就会变短，朝较短的蓝色偏移。

由此，天文学家意识到，光线朝光谱的红端移动的遥远星云，应该是正在离我们远去。哈勃和其他天文学家发现，星云越远，它们随着宇宙膨胀远离的速度越快。这一发现，是借助分光镜的研究获得的，也为宇宙大爆炸理论（参见第 2 章）奠定了基础。分光镜是使讲述大历史成为可能的最重要的发明之一。

不过，为什么银河系中的恒星不是在远离太阳系呢？临近恒星的引力，银河系中心的黑洞的引力，以及遍布在银河系各处、神秘的、看不到的暗物质的引力，使得银河系紧紧聚合在一起。

知识前沿的疑问

- 什么是中子星？

一些超新星爆发的中心产生了中子星。中心坍缩，将每个质子与一个电子挤压在一起变为中子。如果恒星体积不是太大，中子能终止坍缩，暂时以中子星的形态存在，不再发生核聚变。在蟹状星云的超新星残余物中，就有一颗极小的、温度极高的中子星。

中子星是已知宇宙中最致密的物质，相当于把太阳的质量压缩到一座城市的大小。一块方糖大小的中子星材料的重量约为 1 亿吨，相当于一座大山的重量。中子星还具有宇宙中最强的磁场，此外，它的温度可能也是最高的。有的中子星会非常快地旋转，有规律地发出电磁辐射，这样的中子星叫作脉冲星。由于中子星上的状况如此极端，让天文学家得以一瞥物理学中非常特殊的领域，这一领域如果没有中子星的存在是无法研究的。

濒死恒星与你

你与濒死恒星有着直接联系。如果你能数出自己体内的原子数，你会发现平均 62% 的原子中包含着氢，它们是 138 亿年前宇宙诞生时产生的。

人体内并没有气体形式的、纯粹的氢，它与其他原子结合在一起。因此，人体内的分子至少有一部分是濒死恒星和超新星的产物。人体内所有原子中，约 24% ~ 26% 是氧（原子序数 8），约 10% ~ 12% 为碳（原子序数 6）。前十位的元素中余下的每一种仅占 1.5%，甚至更少，它们分别是：氮（原子序数 7）、钠（原子序数 11）、镁（原子序数 12）、磷（原子序数 15）、硫（原子序数 16）、氯（原子序数 17）和钙（原子序数 20）。人体内数量占前十位的原子，全部都是在濒死恒星的高温中产生的。普通人体内可检测到至少 60 种更重的元素，许多都是在超新星中产生的。

每个人都的的确确是由星尘构成的。其实，地球上的万物都是由星尘构成的。从这个角度来看，我们与地球上的万物，以及与宇宙中的万物，都是息息相关的。经过长期以来孜孜不倦的追求，天文学家、物理学家和化学家共同将宇宙起源的故事拼接了起来。

让我们回到本章一开始提出的问题：所有复杂类型的原子、元素来自何处？宇宙是如何制造它们的？

继续探索

初级

www.bighistoryproject.com

Dawkins, Richard.（2011）. *The magic of reality: How we know what's really true.* New York：Free Press.

Hakim, Joy.（2011）. *The story of science: Einstein adds a new dimension.* Washington, DC, and New York：Smithsonian Books.

中级

Bryson, Bill.（2003）. *A short history of nearly everything.* New York：Broadway Books.

Genet, Russell.（2007）. *Humanity: The chimpanzees who would be ants.* Santa Margarita, CA：Collins Foundation Press.

Hazen, Robert M., and Trefil, James.（1991, 2009）. *Science matters: Achieving scientific literacy.* New York：Avon Books. [Chap 6].

高级

Genet, Russell.（1987）. *Supernova 1987A: Astronomy's explosive enigma.* Mesa, AZ：Fairborn Press.

Shubin, Neil.（2013）. *The universe within: The deep history of the human body.* New York：Vintage Books.

网址

http: //www.spacetelescope.org/images/heic0515a 这幅哈勃空间望远镜拍摄的图像是迄今为止蟹状星云最详细的图片。

http: //www.astronomy.swin.edu.au/cosmos/S/Spectral+Line 澳大利亚墨尔本斯威本科技大学，提供了关于光谱线的讨论资料。

http: //www.orionobservatory.org 涵盖猎户座天文台和罗素·热内的方方面面。

5

Threshold 4: Earth and Its Star (4.6-3.5 billion years ago)

第5章

临界点4：
地球和太阳（46亿—35亿年前）

从现在开始，我们的宇宙故事慢慢变成了局限于地球的历史。虽然宇宙中其他地方或许也存在着生命，但目前已知唯一有生命存在的地方就是地球。那么，到底是地球的哪些特点，让生命在此诞生呢？

前几章中，我们了解到，亚原子粒子总是处于运动中。在本章，我们会认识到，更大尺度上的物体也总是处于运动中。打个比方，世间万物都在心醉神迷地舞动着。请系好你的安全带，再打个比方。

我们居住的行星——地球，绕地轴自转，赤道上的速度可达每小时 1600 千米（1000 英里）。（计算方法是：用地球赤道周长 4 万千米除以 24 小时等于赤道自转速度。）地球还以每小时 10.6 万千米（6.6 万英里）的速度绕太阳公转，同时，地球还与太阳和太阳系的其他行星一道，绕银河系的中心旋转，速度为每小时 79.2 万千米（48.3 英里）。太阳系绕银河系一周，大约需要 2.25 亿年的时间，有人称其为“银河年”。太阳和地球形成后，我们已经绕银河系中心旋转了约 20 周。

太阳的形成

人类居住的行星叫地球，地球绕太阳这颗恒星公转。银河系中有上千亿颗恒星，太阳只是其中一颗。那么，太阳到底处在银河系的什么位置呢？太阳绕银河系中心的黑洞旋转的轨道在哪里呢？

还记得吧，银河系结构是经典的扁平圆盘状的星系结构，中间凸起，而且中间可能有一个黑洞。星系盘还有恒星、气体和尘埃组成的旋臂，向外伸出，产生一种螺旋状的效果。太阳就坐落在银河系的一个旋臂上，并非位于星系盘所在的平面上，大约在其上方 20 光年处。

天文学家将星系中适宜生命存在的区域称为“宜居带”，这里距银河系中心既不太近，也不太远。太近，超新星爆发频繁，会破坏行星；太远，超新星爆发太少，生命产生所必需的更重的元素也就无法形成。

太阳连同其行星称作太阳系。它的形成是由于引力将银河系这片宜居带中的一大片松散、旋转的物质云团集聚在了一起。这个物质的云团从何而来？

你猜对了吗？由于地球上存在最重的自然元素——铀，因此我们可以推断，最初形成太阳系的原子云团，一定来自附近的某次超新星爆发，因为只有超新星爆发才能形成像铀这样的重元素。用拟人手法描述的话，这颗假想中的超新星就是我们的“老祖奶奶星”。

引力将物质云团拉得越来越紧密。大约 100 万年后，中心温度越来越高，氢原子开始发生核聚变，形成氦。太阳像恒星一样开始燃烧起来，当时的亮度比现在暗 25% ~ 30%。这一系列事件大约发生在 45.68 亿年前。

今天的太阳是一颗常见的中年恒星，其正式分类属于“黄矮星”。太阳看起来比其他恒星要大，是因为太阳离地球比离别的恒星近得多——平均只有 1.5 亿千米（9300 万英里）。（地球绕太阳公转的轨道是椭圆形的，所以这个距离并不固定。）太阳光到达地球平均需要 8 分 18 秒，而距离我们最近的另一颗恒星的光到达地球，则需要 4 年多的时间。

月球是地球的卫星，本身不发光。月球反射太阳的光，反射的光从月球表面到达地球需 1 秒多一点。虽然月球比太阳小得多，但二者看上去大小差不多，这似乎有点奇怪。之所以这样，是因为太阳虽然比月球大 400 多倍，但是它离地球也比月亮远得多。

太阳燃烧自己，给整个太阳系输送能量。每秒钟，太阳把自身 500 万吨的物质转换成能量，以光的形式释放出来。太阳很大，已经以这样的速率燃烧了 45.68 亿年，未来燃料耗尽之前，差不多还能燃烧这么久。

在 20 亿年后，太阳的亮度会比现在高 15% 左右，而地球表面的温度，也会比现在高很多，大约相当于现在金星表面的温度。太阳之所以越来越热、越来越亮，是因为随着氢融合成氦，太阳核心的氦越来越多。氦比氢密度大，因此氦会施加更大的压力，使温度升高。更高的温度导致氢变成氦的核聚变反应加快，释放能量的速率也就加快，这使得太阳的亮度增加。

在 30 亿 ~ 40 亿年的时间里，太阳将会耗尽上面的氢。接下来它会开始燃烧氦，并开始膨胀。其外层可能膨胀到地球轨道的位置。从现在起 40 亿 ~ 50 亿年后，太阳会爆炸，喷射出碳原子，坍缩成一颗白矮星。再往后，它冷却成一颗黑矮星，不再释放能量。太阳体积不够大，不会成为超新星。

行星的形成

太阳和它的行星几乎是同时形成的，这发生在约45.68亿年前。旋转的云团中，并非所有物质都陷入中心形成了太阳，大约有1‰的物质，继续在一个圆盘里绕着正在形成的太阳旋转。为什么太阳的引力没有把它们都吸引过去呢？没有人能给出完善的答案。或许是旋转的圆盘的惯性，有驱使物质远离中心的倾向吧。

太阳开始燃烧后，会释放出辐射和粒子，就像风一样，这种现象叫作“恒星风”，也叫“金牛座T型风”。恒星风将气体云从内部的微星（婴儿期的行星）周围吹开，最终形成了太阳系内部的4颗岩态行星，从太阳向外依次排列为：水星、金星、地球和火星。4颗行星形成后，绕太阳公转，引力将附近的物质吸引过来，这样就把轨道附近的物质清理干净了。天文学家称这个过程为“吸积”：大块物质与行星相撞，随后与之聚集在一起，使行星体积不断增大。接下来的时间里，行星继续“吸积”，但速度比形成阶段慢了许多。

太阳系外围的温度始终低于靠近内部的部分，这使得更轻的化学元素可以凝结在一起。最终，太阳系外围出现4颗大的气态行星：木星、土星、天王星和海王星。虽然这4颗行星大部分是由冰冻气体构成的，但它们都有较重元素构成的核。

从1930年被首次发现，直到2006年，冥王星一直被看作太阳系的第9颗行星。但是，现在人们将它视作矮行星，它的体积太小，无法清理掉其他天体碎片而形成自身的轨道——这一点被视作真正的行星的标准。冥王星的体积仅是地球的卫星——月球的2/3。

太阳系

从左向右数，地球是距离太阳第三远的行星。除了天王星之外，其他行星的自转轴差不多都是垂直的。这幅图不是按比例绘制的。

木星的直径为地球直径的 11 倍左右，质量是地球的 300 多倍。天文学家认为，由于木星体积非常大，其引力使木星与火星之间再没有形成一颗行星——木星的引力会将一颗正在形成的行星拆散。今天，木星和火星之间没有行星，而是有一圈大块的物质（小行星）绕太阳公转，叫作“小行星带”。这些小行星会互相撞击，有时某一颗会被撞出轨道。它有可能到达地球，那样的话我们会看到它在地球的上层大气中燃烧，形成所谓的“流星”。冥王星轨道之外，存在更多早期太阳系的残余——柯伊伯带（Kuiper Belt）和叫作奥尔特云（Oort Cloud）的大量彗星。

就这样，太阳和太阳系的行星形成了。所有的行星都在同一平面绕太阳公转，这是一个无形的平面，就像一张旧唱片一样。所有行星都在距离太阳不同的地方沿同一个方向公转。我们之前了解到，星系形成时，空间中的一大片气体和粒子云团倾向于形成旋转的圆盘，中心会有个凸起。而在形成太阳系的云团中，有极少部分物质没有落入中心的团块，而是形成了太阳系的八大行星。

地球早期的历史

地球是距离太阳第三远的岩态行星。直径是水星的3倍，比金星稍大，体积是火星的2倍。水星、金星和火星是另外3颗岩态行星。

与其他行星一样，地球在形成过程中，也在不断进行物质的“吸积”。地球开始形成约1亿年后，另一颗刚刚形成的“原行星”（地球体积的1/4或 半）与地球发生了碰撞。根据地质学家提出的理论，这颗原行星擦过地球，撞掉了地球的一大块。引力将撞击下来的大部分物质聚集起来，使其绕地球旋转，形成了月球。最初，月球轨道离地球较近，但后来逐渐远离，一年大约远离5厘米（2英寸）。

造就月球的那次撞击，有人也称其为“大巴掌”，把地球垂直的自转轴也给撞歪了。之后，地球的自转轴不再垂直于太阳系平面，而是倾斜了23°。正是自转轴的倾斜，才造成了地球上的四季交替。

随着地球体积开始增大，温度也开始升高（但不会高得像恒星那样发生氢聚变）。升温现象的出现源于多个原因。首先，与其他物质团块撞击产生高温。其次，在引力作用下，地球体积不断增大，落下来的团块的引力势能转化成热量。最后，地球包含大量放射性元素。放射性元素衰变时也会释放热量。本章前面已经提过，太阳系形成前不久，发生过超新星爆发，地球上的放射性元素即由此而来。

随着地球温度升高，内部熔化，元素因密度不同自行分类，地质学家称这一过程为“化学分化”。（没错，我们讨论的学科又发生了变化，自天文学、物理学和化学之后，这次又转到了地质学。）地球发生熔融后，像铁和镍等重元素，沉入了地球中心，较轻的元素待在中间，而最轻的元素则上升到地球表面。

地质学家将地球历史的前 6 亿年（46 亿 ~ 40 亿年前）称为“冥古代”（Hadean Eon）。这个名字源于希腊语的“冥府”（Hades），古希腊人死后灵魂就存在于这个地方。而用 Eon 这个词，是因为基督徒将这个希腊语单词看作与基督教所说的“地狱”同义。

最初，地球自转速度很快，自转一周仅需 8 小时左右。到了大约 40 亿年前，由于月球和太阳起到了“刹车”的功能，地球自转的速度放缓，自转一周延长到 15 小时。当时的太阳比现在暗淡，其光度仅为目前的 25% ~ 30% 左右。如果当时有人类存在的话，透过满是二氧化碳的空气看过去，天空会呈现一片红色。小行星依然频繁撞击地球，但是频率降了下来。地球表面所有水分都蒸发了，形成弥补的云层。炽热的地表上，火山不停地喷出岩浆——真是我们想象中的地狱般的存在。

经过很长时间，辐射和小行星撞击不断减少，地球温度慢慢冷却下来。随着地球温度下降，水蒸气变成温暖的液体降到地面，这雨一下就是几百万年。那这些水最初又是从何而来呢？很大一部分来自最初撞击在一起并形成地球的物质团块。后来，又有大量彗星撞击地球，而彗星大部分由冰组成，给地球带来了更多的水。

至少在 38 亿年前，地球已经足够冷却，得以形成海洋。海洋吸收了空气中大量的二氧化碳，使天空呈现蓝色。某个大陆地壳开始形成。2010 年，在澳大利亚西部发现了一颗锆石晶体，经测定有 44 亿年的历史，是已知的地球上最古老的物质。在加拿大、澳大利亚、南非和格陵兰岛，已发现有 38 亿年历史的岩石。据估计，30 亿年前，今天地壳的 65% 已经形成。人们认为，20 亿年前，板块构造活动剧烈。

至少在 35 亿年前，地球已经具备了使生命有可能出现的不同寻常的特点。或许，其中关键的特点就是地球与太阳的距离：这个距离恰好能使水以液体的形式存在于地球表面。假如地球距太阳太近，地球表面的水就会蒸发为气体；假如地球距太阳太远，地球表面的水就会凝结成冰。

分层结构是地球的另一个关键特点。地球中心是由铁和镍构成的固体内核，虽然高温使其呈现液态，但引力带来的巨大压力，又使其表现得像固态。流动的液态铁和镍构成的外核产生了地球的“磁场”。再往上一层是地幔，虽为固体，但在更长的时间尺度里，却是流动的，会带着陆地移动。陆地下方缓慢流动的地幔，其深度大约能达到 650 千米（约 404 英里），再往上就是大陆地壳，平均深度为 35 千米（22 英里）。海洋深约 5 千米（3 英里），海底下方的地壳深度约为 5 千米（3 英里），地壳下方就是地幔了。最后一点，是地球有一层围绕在其外部的薄薄的大气。引力让大气层能够保留下来，把我们与外太空隔开。

地球的分层结构对生命来说非常关键。上文提到，由于流动的熔融的铁产生电流，因此液态外核产生了磁场。磁场保护地球表面的生物免受宇宙射线（高能质子和原子核）的伤害。

地幔底部的温度要比顶部高。底部的热量传导到顶部，就像在锅里熬豌豆汤一样，虽未沸腾，但却会慢慢翻滚。由于板块浮在上地幔之上，这使得板块活动起来。在某些板块的交界处，一个板块会俯冲进入另一个板块下方，重新变成地幔。地球表面的大部分物质就是这样不断循环再造。这个周期大约需要 5 亿年。

地球的大小也是使生命有可能出现的关键特性。假如地球再小些，其引力就无法留住大气或地球表面的液态水，而这两者对生命来说都是至关重要的；假如地球再大些，其引力就会把陆地上的绝大部分生物压扁。

此外，地轴倾斜也是生命产生的关键因素。在地球绕太阳公转的轨道中，有一部分北半球朝太阳方向倾斜，另一部分北半球偏离太阳。太阳照射地球角度的变化使得到达地球的热量发生变化。地球自转轴并不改变，变的是地球在轨道上的位置。（嗯，地轴的倾斜角度实际上会有微小变化，见下文。）

朝太阳倾斜的半球接收更多直接来自太阳的辐射，也就获得了更多热量，我们称这个季节为夏季。当我们所在的半球偏离太阳时，冬季就来了。南半球的季节与北半球相反。赤道附近的热带季节变化不明显。

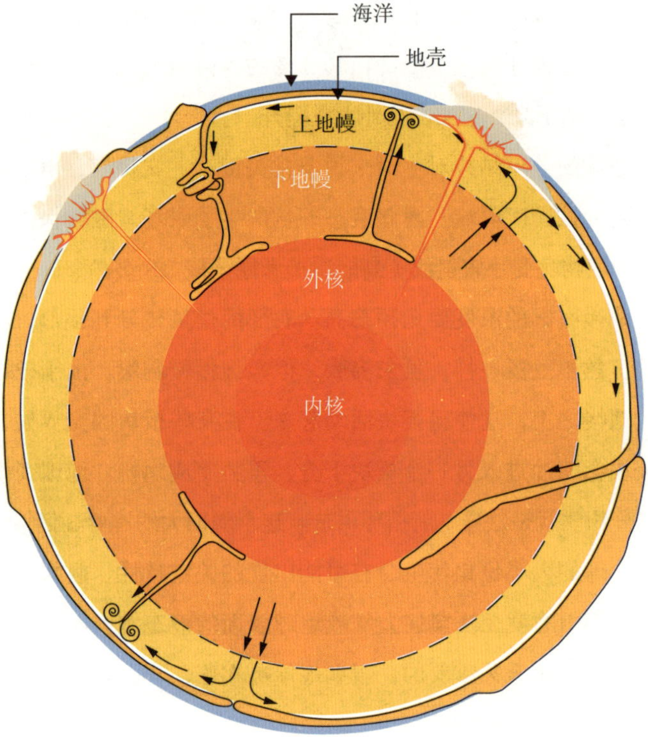

地球的内部结构
图中显示了地球内部的液态流动。地壳外部扭动的线条代表的是火山。

太阳的热量到底有多少到达了地球呢？这是个相当复杂的问题。从大的时间跨度来说，并不稳定，也不始终如一。地球的轨道（与太阳之间的距离）有所变化，另外地轴也会发生摇摆，此外倾角也会稍微发生变化。

米兰科维奇循环

这些周期体现在地轴倾斜角度的变化、地轴摆动和公转轨道形状变化——后者叫作偏心率，或与圆形轨道的偏差。塞尔维亚天文学家米卢廷·米兰科维奇（Milutin Milankovitch，1879—1958）首次发现了这些周期，遂以他的名字命名。

地球轨道是椭圆形的，1 月份时与太阳之间的距离比 7 月份时要近 483 万千米（300 万英里）。但地球轨道的椭圆程度也在变化，一段时间椭圆的程度高，然后越来越接近圆形，然后再变得椭圆，大约每 10 万年循环一次。地轴倾斜角度则大约每 4.1 万年从 21.5° 到 24.5° 之间变动一个循环。（若不是月球引力对地球起到了稳定作用，地轴的变化幅度会更大。）地轴每 2.1 万年摆动一次。地球轨道、地轴倾角以及地轴的摆动，是由太阳和月球对地球的引力，以及金星、火星、木星和土星与地球的距离变化导致的。这些行星质量都很大，当它们以规律的周期接近地球时，其引力会扭曲地球轨道和倾斜角度。我们生活在引力系统中，所有事物都在相互拖拽。而所有这些，也会略微改变到达地球的辐射总量和分布，继而影响气候。

地球加工元素

地球是太阳系中唯一一颗变动不安的行星。从大的时间跨度来看，没有任何地表特征是恒定不变的。地幔的缓慢流动导致大陆移动、破裂、连接，并循环变成地幔，周而复始。

地球和大气层几乎形成了一个元素和养分的密闭的系统。（对于来自太阳的能量，这个系统是开放的。）地球上的所有原子，几乎都已存在了46亿年，自地球形成之日起就有。少量其他原子来自小行星。除了最轻的氢和氦之外，引力使得所有原子都无法逃离地球，而且即便是那2种最轻的原子，也损失得非常缓慢。整体看来，地球基本上拥有固定的原子“预算”。

那么，如果不考虑大气层的话，地球的主要元素是什么呢？其中的四大元素分别是：铁、氧、硅和镁。这四大元素合起来构成了地球质量的90%以上。地壳本身则几乎有一半是氧，25%是硅，5%是铁。另外，还有一大长串的其他元素，各自只占极小的比例。

这些比例很小的元素的原子并非静止不动，无所事事。它们以不同的组合方式，在地球系统（大气层、生物圈、水和土壤系统、地壳、地幔和地核）中的不同地方或不同存储区之间运动。这一运动叫作“生物地球化学循环”，是地质活动和生命共同作用形成的封闭体系中的循环流动。

对于地球生命来说，至少有4种至关重要的生物地球化学循环，它们分别是碳循环、氮循环、氧循环和水循环。首先，我们来认识一下碳循环。通过燃烧化石燃料，人类文明正严重影响着碳循环。（参见 http: //en.wikipedia.org/wiki/Carbon_cycle）

稀土元素

所谓的“稀土元素”（Rare Earth Elements），如今经常成为新闻话题，是因为电子制造商需要稀土元素来制造手机和电脑。但其实将其称作“稀土”是用词不当，这些元素并非特别稀缺，只是大家对其都不熟悉罢了。

有些稀土元素在地壳中就像铜、锡、锌一样常见。即便最不常见的稀土元素（铥和镏），也几乎比金常见 200 倍。

稀土元素不富集在矿床中，不易开采。它们分布得非常分散，要想开采，需要破坏大面积的地表。目前，中国是世界上开采稀土元素最多的国家，付出了沉重的环境代价。现在，其他国家也在加紧开采稀土元素。人类建立“循环系统”势在必行，不仅要循环使用难以开采的元素，还要保护水系统免受这些元素的污染，如果简单地丢弃这类元素制造的产品，会毒化水系统。

火山把二氧化碳喷到空气中，就会使碳原子进入大气层。在大气层中，二氧化碳溶解在雨水中，形成酸雨。酸雨落在裸露的岩石上，会将其分解，雨水携带着岩石中更多的碳，流入溪流和江河，汇入海洋。在海洋中，碳组成了鱼类、浮游生物和贝类的身体和外壳。而这些生物死后，残骸沉入海底，形成岩石。板块构造活动最终又让海底岩石返回地幔，进入高温的内部地幔进行循环。火山喷发再次把碳原子从那里带出来，释放到大气中。据估计，完成这样的一个循环平均需要 1.5 亿年左右。

碳循环

数百万年之后，通过火山喷发，碳再次进入大气层。酸雨将碳带回地表，流入海洋，成为岩石的一部分，之后再次循环进入上地幔，然后再一次通过火山喷发回到大气中。

今天的月球地质学家是如何做研究的？

天文学家已经详细了解了遥远恒星的构成，但在那之后的几十年里，没有人知道月球是由什么构成的。这个反差似乎很奇怪，毕竟，月球比恒星离地球近得多。

但要考虑一点：月球本身不发光，它所有的光都是反射太阳的光。由于月球本身不发光，天文学家就无法绘制月光的光谱。没有光谱，就无法知道构成月球的元素。

1967 年 4 月 20 日，美国国家航空航天局向月球发送的带有土壤挖掘装置的设备成功登陆月球。按照计划，它有 14 天的日照时间，之后月球进入 14 天的夜晚，它会用尽太阳能板储存的电。1969 年 11 月，阿波罗 12 号的宇航员带回了这个设备的一些部件。

1969 年 7 月 29 日，人类第一次登上月球。接下来的 3 年里，执行阿波罗任务的宇航员，从 6 处不同的探索基地，收集并带回了重达 382 千克（842 磅）的月球岩石、岩芯、沙砾、沙和尘土。苏联的自动化航天器也从其他登陆点带回了 300 克（0.66 磅）的采样。

美国收集的月球岩石主要存放在得克萨斯州休斯敦市的林顿·约翰逊（Lyndon B. Johnson）太空中心。一些样品分配给了一些科学家和教育专家。（大家可以来此虚拟旅游，了解存放月球样品的大楼的情况。请登录：http: //curator.jsc.nasa.gov/Lunar/laboratory_tour.cfm。）

月球地质学家已经对这些月球岩石做了分析，确定月球的年龄约为 44.5 亿年。经研究发现，月球的构成元素与地球相同，只是比例不同。月球地质学家总结了关于月球起源的现有理论，这些理论得到了月球岩石的化学构成的证实——其构成与地球地幔岩石的构成非常类似。月壳大约形成于 44 亿年前，之后经历了密集的小行星撞击。由于板块构造运动造成的地表腐蚀和陆地循环，地球上没有留下小行星撞击的痕迹。但月球没有板块构造运动，地质学家根据月球上的证据推断，地球在那段时期也一定遭受了小行星的密集撞击。

2014 年 11 月 19 日，体积相当于洗衣机大小的“菲莱号”航天器登陆一颗彗星，这颗彗星距地球约 5 亿千米（3.11 亿英里），运行速度达每小时 6.6 万千米（4.1 万英里）。这台小型的航天器弹回了好几次之后，才成功抛锚，让德国达姆施塔特任务指挥中心的人员好一顿紧张。这个航天器是罗塞塔号释放的。罗塞塔探测器是 10 年前发射进入太空的，是欧洲航天局的一个航天项目。该探测器绕地球进行了 3 次“引力助推”（或称“引力弹弓效应”），又绕火星进行一次引力助推，使其充分加速才得以抵达该彗星。分析这台航天器收集到的数据尚需时日。

知识前沿的疑问

- 大型小行星撞击地球的概率是多少呢？

小行星是绕太阳运行的岩态物体，很少或者几乎没有冰。流星是小块石头在地球大气层燃烧形成的一道光线。陨石就是撞到地球表面的来自太空的石头。彗星大部分都是冰构成的。其实，科学家使用这套术语的时候并不那么一致。

现在，每年依然有约 4 万吨太空物质——多为岩石、灰尘和水撞击地球。但由于多数太小，人们看不到。

通常，任何进入地球大气层的直径小于 10 米（约 33 英尺）的物体，还没等撞到地球，就会以“流星”的形式“烧尽”。由于大气中的原子与这些物体发生摩擦，物体的温度升高，导致其碎裂。

但是偶尔有体积较大的小行星能抵达地球表面，或是几乎到达地面。俄罗斯的车里雅宾斯克市 2013 年就发生了这类事件。该市位于乌拉尔山脉（欧洲与亚洲的分界）东部，居民有 100 万。2013 年 2 月 15 日清晨，在车里雅宾斯克上空 29.7 千米（18.4 英里）处，一个直径约 20 米（66 英尺）的物体爆炸，其亮度不亚于太阳。大气吸收了爆炸产生的大部分能量，但是爆炸依然产生了一股气体和尘埃云，带来的冲击波损毁了 6 个城市的 7200 座建筑，大多数都是门窗玻璃受损。没有人员死亡，但多人受伤，多数是碎玻璃所伤。大家可以上网搜索“车里雅宾斯克小行星事件”。

由于这颗小行星进入的路径贴近太阳，太阳的光亮使得人们没有观察到它。因为进入地球大气层时的角度较浅，所以飞行的时间更长，导致其解体。如果进入角度再大些，后果将严重得多。16 小时之后，又一颗与它没有联系的小行星——据估计，它的直径为 30 米（98 英尺）——接近了地球，距离地球仅有 2.7 万千米（1.6 万英里），但是没有撞上。

过去有历史记录的 5000 年里，已知最大的撞击事件发生在 1908 年 6 月 30 日，位于西伯利亚通古斯卡河附近的一个无人区。一个直径据估计为 60 米（197 英尺）的物体，在地面上方 5 ~ 10 千米（3 ~ 6 英里）处发生爆炸。没有人员伤亡，但是 2200 平方千米（1367 平方英里）内的 8000 万棵树，都因爆炸产生的高温而死亡。

天文学家才刚刚开始研究来自太空的撞击的频率。一项研究表明，刚刚过去的 20 年里，有 60 颗直径约为 20 米（66 英尺）的小型的小行星，进入了地球大气层。除了检测核武器测试的传感器检测到它们之外，多数都未被常规手段检测到。

天文学家估计，约有 10 ~ 20 颗直径为 10 ~ 20 千米（6 ~ 12 英里）的较大的小行星，目前正在绕太阳旋转，其轨道可能接近到与地球轨道相交。绕太阳运行的有一定规模的小行星有 100 万颗，而天文学家目前仅追踪到其中的 1% 左右。想通过天文望远镜检测这些小行星比较困难，但是对于某颗正在朝地球飞来的小行星，通过发送航天器改变它的方向，难度或许小点。

检测发现大型小行星的计划正在进行，同时，人们也在研究如何改变它们的方向。位于马萨诸塞州坎布里奇的小行星中心（Minor Planet Center），自 1947 年开始就在对彗星和小行星的轨道进行编目。NASA 有一个近地天体计划，欧盟也制定了小行星防护盾计划（NEO Shield program）。2014 年 6 月 30 日，天文学界举行了第一次“小行星日”活动。（欲了解更多关于近地天体的信息，请登录：http: //neo.jpl.nasa.gov/neo。）

- 地球磁场发生了什么？

地球磁场的历史尚不明晰。地球的磁场似乎已经以不规律的间隔，发生了 300 次左右翻转。磁场翻转的间隔，从最短几十万年到最长 1000 万年不等。据推测，最后一次磁场翻转发生在大约 78 万年前。科学家是通过研究岩石中的矿物质的磁极得到这个数据的。岩石中矿物的磁极会在岩石形成的时候固定下来。而每次磁场翻转据估计会花费几百或几千年的时间。没有人知道磁场为什么会翻转。

你觉得未来一个世纪内，会不会发生磁场翻转呢？地质学家认为，地球或许会再次发生磁场翻转，这是因为在过去的几百年中，磁场强度一直在不断下降。

磁场翻转过程会导致地球所有磁性在一段时期内暂时消失。由于没有磁偏转的阻挡，宇宙辐射就会长驱直入，导致地球上发生比常态下更多的突变。这到底意味着什么，尚无人确知，毕竟上一次地磁翻转发生在 78 万年前，当时地球上还没有人类存在，没有人能够记录发生了什么。持续关注吧。

太阳、地球和我们

太阳为人类提供生命之光。没有太阳的能量，地球的温度很快就会降至 –240 摄氏度（–464 华氏度）左右，人类根本无法生存。

人类以前一直依靠太阳直接获取温暖或食物。现在，我们还依靠储存在化石燃料中的太阳光来驱动机器，并生产粮食。（参见第 10 章）

所以，毫不奇怪，为什么有那么多人类文明都崇拜太阳，或把太阳当成他们至高无上的神。古希腊人把太阳神命名为赫利俄斯（Helios），氦的英文名“helium”就是来自他的名字；阿兹特克人认为太阳是在牺牲自己（的确如此），因此，他们认为需要活人献祭才能让太阳持续燃烧（大错特错）。

古埃及最伟大的神之一是拉（Ra），即太阳神。埃及人认为，每天晚上，女神努特都会横穿天际，吞掉拉，第二天早上再把他生出来。

日本神道教将太阳视为女神，取名为“天照大神”，月亮是她的兄弟，名为“月读”。

一年到头，我们所感知的太阳是不同的。因为地轴倾斜，我们能经历四季交替，它主导了人类的生活，即便生活在城市中，人们也受到四季交替的影响。

说到地球，我们已经了解了地球适合生命生存的特点。20 世纪 60 年代之前，人类还没有地球的照片，当时的人们只能想象地球在太空中的样子。

1970 年 1 月，《生活》杂志封面刊载了在绕月轨道上拍摄的第一张地球的彩色照片。终于，人们得以一睹这颗在太空中飘浮的美丽星球的芳容，她被水蒸气组成的螺旋形白云包围着。这颗生机勃勃的星球，放在太空的背景下，看起来却是那样脆弱。

每次呼吸，充满肺部的氧气都曾是地球、大海和天空的一部分。作为二氧化碳的组成部分，几十亿年前，氧原子通过火山喷发喷出地表，与雨水一道，落到蒸气腾腾的地球表面。可以说，你吃掉的植物中的每一个碳原子，都已经通过火山、天空、降雨、大海和岩石，循环了大约 30 次（每循环一次大约需要 1.5 亿年）。

比如吃一个苹果，苹果中的电子穿过人体细胞，驱动人体新陈代谢。而苹果中的电子则来自于土壤里的矿物质和水，以及空气中的二氧化碳。这些电子在地球的系统中已经循环了亿万年，或许甚至来自其他的星系。它们可能是大爆炸后 38 万年就开始存在于宇宙中的物质，不断循环。你每天喝的水当中，大部分是小行星输送给地球的。

回到本章开始的问题——地球有哪些特点，使得生命有可能在此诞生？看看你能不能给出一个令人满意的答案。

1969 年，月球上看到的地球升起

1969 年 7 月 29 日，美国阿波罗 8 号的宇航员首次登陆月球，这张照片就是登月的宇航员拍摄的。这张照片具有世界性的影响力，因为人类第一次看到自己所在的星球飘浮在太空中的样子。

继续探索

初级

www.bighistoryproject.com

中级

Hazen, Robert M., and Trefil, James.（1991 & 2009）. *Science matters: Achieving scientific literacy*. New York：Avon Books [Pp. 172–175；chaps. 13 & 14].

高级

Hazen, Robert M.（2012）. *The story of Earth: The first 4.5 billion years from stardust to living planet*. New York：Viking.

Krauss, Lawrence M.（2001）. *Atom: A single atom's odyssey from the Big Bang to life on Earth . . . and beyond*. Boston：Little, Brown.

Shubin, Neil.（2013）. *The universe within: The deep history of the human body*. New York：Vintage.

Zalasiewicz, Jan.（2010）. *Planet in a pebble: A journey into Earth's deep history*. Oxford：Oxford University Press.

网址

http: //en.wikipedia.org/wiki/Carbon_cycle　维基百科描述碳循环。

http: //curator.jsc.nasa.gov/Lunar/laboratory_tour.cfm　NASA 提供的月球样本实验室之旅。

http: //neo.jpl.nasa.gov/neo　NASA 介绍近地天体计划。

http: //www.youtube.com/watch?v=yQ2cqzOtclA 《行星的力量：罕见的地球》(2007)皇家地理学会通过 YouTube 提供的关于板块构造的介绍视频。

6

Threshold 5: Evolution of Life (a) —— Bacteria and Viruses (3.5 billion years ago - present)

第6章

临界点 5：生命的进化（a）——细菌和病毒（35 亿年前至今）

我们已经知道，人体内的许多原子都来自早期宇宙，其他的原子则是大型恒星爆炸将复杂的原子散布到我们的银河系中而逐渐出现的。那么，现在就要问了：生命是如何起源的？原子和分子是怎么进化成生物的呢？

两个词

生物学是研究生物体的学科，从本章开始我们将用生物学继续讲述这个故事。生物学领域最基本的两个词是“生命”和“进化”。

那么“有生命”到底是什么概念呢？恒星有生命吗？地球有生命吗？宇宙有生命吗？当科学家和哲学家开始考虑自己学科以外的内容的时候，就提出了上面的问题。不同的语境中，对于生命定义的讨论一直没有停止。

给“生命”下个定义，并不容易。物质元素既构成有生命的实体，也构成无生命的实体。那么这两种实体的区别在哪呢？有生命的物体是“细胞”构成的，而细胞是小型的“化工厂”。除此之外，生物学家对生物体的3个特性也达成了共识：新陈代谢、繁殖和适应。

“新陈代谢”是指生物积极地从环境中摄取物质和能量、补充化学成分而同时不失去其本身特点的过程；“繁殖”是生物繁育跟自己相似的后代的过程；“适应”是指生物为适应环境的变化而能够经过多个世代发生改变的现象。

“进化”同样也不好下定义，它指的是现在的生物都是从早期形式演变发展而来的。生物体繁殖时，部分基因在转录过程中出现错误，导致突变（基因结构发生变化）。通常，这些突变是有害的，会导致生物体死亡，且无法繁殖后代。偶尔，有的突变会对特定时间特定环境下的生物体有益，这些突变会传给下一代，改变整个种群，并最终产生新的物种。

19 世纪中期，两位英国博物学家——查尔斯·达尔文（Charles Darwin，1809—1882）和阿尔弗雷德·拉塞尔·华莱士（Alfred Russel Wallace，1833—1913）——大体弄明白了这一过程。达尔文称之为“自然选择”带来的“饰变演替”，并就此撰写了巨著《物种起源》（*On the Origin of the Species*，1859）。

到了 19 世纪 50 年代，欧洲已经有许多人认识到，动植物随时间推移发生了变化。证据非常明显——化石（1842 年，一位英国解剖学家首次命名了“恐龙”）和家畜育种（也叫人工选择）。通过家畜育种，农民使绵羊和牛的身形增大，也培育出专门的猎犬。

达尔文意识到，自然（环境）从个体变异中，选择哪个动物能够存活并繁衍后代，这与饲养员选择哪个动物育种，是一个道理。自然选择往往需要很长时间，不过细菌变异却很快。

但达尔文的知识还有不完整的地方。他认为地球只有 3 亿年的历史，在这个时间内，不足以发生所有的变化。而且，对于基因突变的机制，他尚不理解。直到 1953 年，两位分子生物学家詹姆斯·沃森（James Watson, 1928—）和弗朗西斯·克里克（Francis Crick，1916—2004）在剑桥大学的卡文迪许实验室弄清楚了 DNA 结构、遗传的分子基础等问题，人们才理解了基因突变机制。

以下是沃森和克里克已经明确的问题：DNA 是脱氧核糖核酸（deoxyribonucleic acid）的缩写，是每个细胞中心的一个大分子，结构类似于扭曲的梯子。梯子两侧是糖分子，梯级由 4 个碱基分子构成。4 个碱基分别是腺嘌呤［A］和胸腺嘧啶［T］，胞嘧啶［C］和鸟嘌呤［G］。只有 A 和 T，G 和 C 相互吸引，适配良好。每个梯级上都有一对碱基分子，是 AT、TA、GC、CG 4 种中的一种。DNA 在碱基对的中间分裂开，复制自己。最初的双螺旋线分裂成两半，每一半都吸引互补碱基，就这样形成了两个原始基因的副本。

目前，进化论是生物学领域的核心理论或核心思想。换句话说，进化论是生物学的核心范式。生物学家之所以依然称进化论为“理论”，是因为这是科学家遵循的一种传统（参见第 1 章）：任何思想，只要有足够的证据支撑，科学家就将其称为理论。从早期生物进化为现代生物，科学家已经有了坚实的证据，进化论旨在对这些观察做出解释。不断出现的新的发现，也有助于准确解释进化的过程。

生命的出现

所有生物体均由细胞组成，或者是单细胞，或者是一组细胞。生物学家认为，最早的生物体都是单细胞生物，跟现在的单细胞生物一样，但由于太小，肉眼无法看到。最初的生物体是从无生命的分子集合自然产生的——那些分子在大约几百万年间越变越复杂。

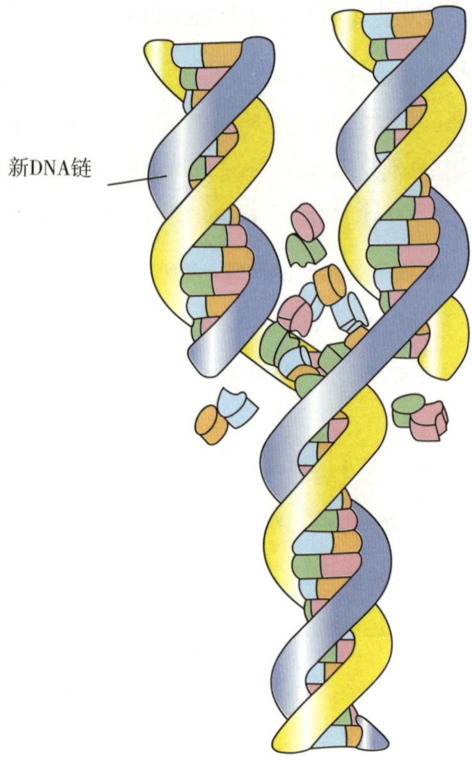

DNA 的结构和复制 DNA
从碱基对的中间一分为二，复制自己。每一半吸引另一个糖分子链和互补碱基，形成与原始 DNA 一致的新分子。基因是更大的 DNA 分子序列上的较小的分子序列。

活细胞是什么元素组成的？最常见的 4 种元素是氢、氧、碳和氮，还有少量的硫和磷。这些原子构成分子，而这些分子可以分成 4 个大类：构成结构、提供机能的蛋白质，储存能量的碳水化合物，不溶于水、在水中形成膜的脂质，以及核酸（核酸指导细胞如何构成合适的蛋白质，并指导细胞如何繁衍）。

地球上的第一个活细胞究竟是怎么诞生的？这件事情发生的顺序，现在依然是个谜，或许它仅次于“宇宙从何而来”这个最大的谜团。不过，生物学家已经收集了大量的证据，能大体勾勒出第一批活细胞诞生的过程。

其中的矛盾在于：活细胞既有蛋白质，也有核酸。蛋白质由氨基酸构成（多数是碳、氢、氧和氮），而核酸中另外还包含磷。核酸携带基因指令，可以是具有双链的（脱氧核糖核酸 DNA），也可以是只有一个单链的（核糖核酸 RNA）。

那么到底先有哪个呢：蛋白质还是 DNA/RNA？它们是按哪种顺序出现的呢？是一同演化产生的，还是先有一个再有另一个？或者是二者在不同的原始细胞内演化，然后结合在一起？还没有人能解答这个问题。生物学家认为 RNA 可能先于 DNA 出现，因为 RNA 较简单，而且在细胞中还有许多其他功能。

科学家推测，当生物体在某个地方的水体中出现时，在类似细胞的球内，复杂分子结合在一起，外部有膜，起到保护作用。它们能够吸收其他原子和分子，并且能够分裂复制。最早的原始细胞如何保留有用的基因改变，尚不清楚。

地球上一部分最早的生命存在的时期，好像与小行星撞击地球最频繁的时期相吻合。2014 年 12 月，一份实验报告表明，捷克共和国首都布拉格的一些生物化学家做了一个实验，用强大的激光照射一份化学溶液。这是模仿高速运行的小行星撞击地球时产生的能量。实验结果表明，激光的热量可以产生 4 种形成 RNA 所需要的基本化学成分，这为目前的理论提供了支持。

说到小行星，一些科学家认为构成蛋白质的最早的氨基酸，或许就是陨石带到地球上的。氨基酸分子是在太空中自发形成的。1969 年，科学家在南极洲冰层里的陨石残片以及澳大利亚的默奇森河的陨石残片中，发现了很多不同的氨基酸。研究发现这些氨基酸已有 45 亿年的历史，共包含地球蛋白质成分中涉及的 8 种氨基酸。

地球上的第一个活细胞是何时出现的？一类叫作“叠层石”（一层层的单细胞生物化石）的化石给了我们惊人的答案。地球形成后不到 10 亿年，生命就开始形成并演化。叠层石可追溯到 34 亿年前，那时生物体已经可以利用太阳光获取能量了（光合作用）。进化需要些时日，于是科学家推测最早的生命大约出现于 38 亿到 35 亿年前。

还有最最令人吃惊的：我们所知道的生命仅出现了一次，而且无疑出现在水里——或许是大海里的某处，可能在海底的某个火山口，那里可以提供源源不断的能量流。地球上的每个生物都有相同的遗传密码，也就是说每个生物都是同一个单细胞生物的后代。很快，那个细胞的后代遍布海洋各处，消耗有机原料，降低了其他类型细胞出现的可能性。生物学家称第一个细胞为所有生物的“最终共同祖先”（Last Universal Common Ancestor，缩写为 LUCA）。

所有生物都是从 LUCA 进化而来的。初期，它们都是单细胞的形式。目前，生物学家将它们分为 3 类：古细菌、细菌（两者均没有细胞核）以及真核生物（包含一个细胞核）。但对于如何给生物分类，生物学家依然有争议。

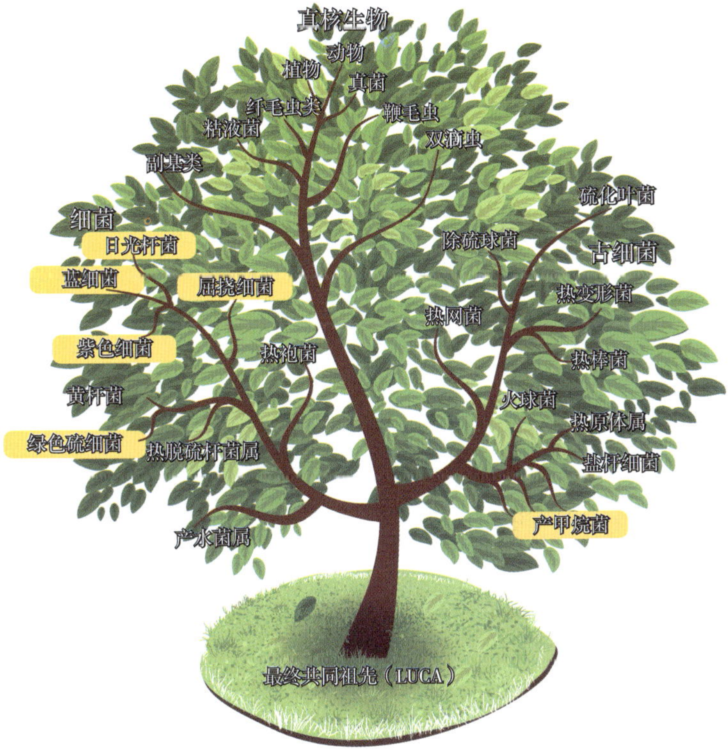

生命之树

此图是生物分类的一个版本。对于究竟如何绘制生命之树，生物学家意见不一。但无论如何，人类都是动物的一个小分支，在此树上甚至都没有标注出来。

几十亿年的细菌

细菌生龙活虎地进化了 20 亿到 30 亿年后，才出现了多细胞植物和动物。那段时期内，细菌产生了 4 次革新，它们越来越复杂，也改变了它们所在的星球——光合作用、呼吸、单核细胞和有性繁殖。

最早的细菌所需的食物开始耗尽。或许当时它们只是随意吃点附近的化学成分，但最终这些开始变得稀缺。有一些变异使得细菌开始用空气、阳光和水生产自己所需的所有分子——真是个惊人的革新！

细菌生产所需化学成分的过程叫作“光合作用”。在这个过程中，叶绿素分子吸收太阳的光子，细胞借助这种能量，将水和空气中的二氧化碳结合，产生碳水化合物以储存能量，同时将游离氧释放到水中。今天植物的光合作用依然是这个过程。人们称这个过程“无疑是地球生命历史上最重要的新陈代谢的革新”（马古利斯和萨根 1986，78）。发明光合作用的细菌，与海洋浮游生物一道，时至今日，依然进行着地球上半数的光合作用。

猜猜下文如何？随着时间推移，光合作用产生的氧气日渐积累到大气中。生命开始出现时，大气中的游离氧非常少，只有 1% 左右。大约过了 30 亿年，也就是 6 亿年前，氧气在大气中所占的比重上升到 21%，差不多与今天相同。

大气中氧气的增多对细菌产生了威胁。氧气是容易引起化学反应的，这就意味着它会与其他原子结合。氧气与细菌结合，致使细菌丧命。后来，有些细菌进化到可以通过与光合作用相反的过程利用氧气。这些细菌吸收氧气，消化碳水化合物，为细胞释放更多的能量，比光合作用释放的能量要多，二氧化碳是这个过程的副产品，被释放到大气中。这个过程叫作“呼吸”。

好聪明的细菌！负责光合作用的细菌吸收二氧化碳，释放氧气，而“呼吸细菌”则吸收氧气，释放二氧化碳。它们一起形成了能够维持大气平衡的循环系统。

此时，这些细菌依然是简单的单细胞生物，没有清晰的结构或中心（细胞核），名为“原核生物”，或“无核细胞”（意思是没有中心）。细胞膜包围细胞，细胞膜内不同的化学成分随机飘动游荡。

这些简单细胞的繁殖方式是一分为二，每个新细胞都是母体的克隆。不过，这些简单细胞通过让临近的细胞进入自己的细胞膜，就可以交换遗传物质。这给它们带来了遗传的灵活性，这是复杂的生物做不到的。它们能快速变异。

大约过了 20 亿年（约 15 亿年前），细菌完成了一次相当艰难的大动作：一些细菌与其他细菌融合。宿主菌没有将进入的细菌食用并消化掉，而是与对方结合，形成了共生关系。通过这种方式，一种新的、更为复杂的细胞产生了，叫作“真核生物”或“有核细胞”，细胞中央是一个受保护的细胞核。

这些新细胞都非常大，一般比没有细胞核的细胞大 10 倍到 100 倍不等。新细胞具备了类似骨架的结构，还有细胞膜包围并保护细胞核中的遗传物质。有核细胞还具备两个小部分，叫作细胞器——之前都是作为独立的细胞存在的。这两个细胞器分别是线粒体和细胞质体（在光合作用的细胞中）。这些细胞器依然具备各自独立的 DNA，生物学家由此推知，它们过去是独立的细胞。

细菌再次重复了这个过程。它们发现了进化成更复杂细胞的方式。此外再也没有新的细胞种类产生。

我在这部分的描述中把细菌拟人化了，把它们描述得像人一样有意识地进行创造。这么写，是想读者朋友们读起来更有趣些，

琳恩·马古利斯

微观世界的特立独行者

马古利斯是位坚持己见的生物学家，她指出有核细胞一定是在小细菌融合为新类型的细胞时出现的。

琳恩·马古利斯（Lynn Margulis，1938—2011），美国生物学家，她对有核细胞起源的研究让进化研究延伸到了30亿年前。

琳恩·马古利斯原名琳恩·亚历山大，在伊利诺伊州的芝加哥南区长大。父亲是波兰裔犹太人，从事律师工作，母亲经营一家旅行社。琳恩有3个妹妹。

从四年级到八年级，琳恩就读的是芝加哥大学的实验学校，那是一间私立走读学校，隶属于芝加哥大学，由教育哲学家约翰·杜威（John Dewey）创立。八年级时，琳恩决定去一所大点儿的学校上学，那样的话好找男朋友。她在父母不知情的情况下报名进入了海德公园高中，这是一所管制的公立学校，在校生有5000人。

琳恩是个早慧的学生，15岁时，就被芝加哥大学录取，19岁大学毕业。她选修了“历史名著”的课程，她说这门课教会了她具有怀疑批判精神。后来她又在威斯康星大学获得了遗传学和动物学硕士学位，1965年在加利福尼亚大学伯克利分校获得了遗传学博士学位。她先是在波士顿大学工作了20年，边教学边研究，后来到马萨诸塞大学阿默斯特分校工作了23年。

马古利斯获得博士学位后不久，就陆续发表了一些论文，表达了她的革命性见解：进化是从细菌开始的。几种细菌融合成为一种大细胞，有核细胞出现。有关这一观点的第一篇论文，她自己也承认内容复杂难懂，文笔也不好，被退回了15次之多，直到1967年才得以发表。1970年，她的著作《真核细胞起源》（*The Origin of Eukaryotic Cells*）出版。

最初，马古利斯的观点并没有引起人们的注意，要不就是遭到嘲笑。然而在 20 世纪 80 年代，人们发现了相关证据，表明有核细胞细胞器中的 DNA 与细胞本身的 DNA 并不相同。由此可以推断，细胞器一开始一定是独立的细胞。随后，生物学界接受了这个观点。

1986 年，马古利斯出版了她的科普著作《小宇宙：细菌主演的地球生命史》（*Microcosmos: Four Billion Years of Microbial Evolution*）。她因此荣获了许多科学奖项。1999 年，克林顿总统给她颁发了国家科学奖章。

马古利斯与詹姆斯·拉夫洛克（James Lovelock，见下文）合作，提出了"盖亚假说"，指出地球本身是一个能使自身永久存在的生态系统，能够维持自身持续发展的条件。拉夫洛克比马古利斯观点更激进，认为地球本身是一个生物体。

马古利斯有两次婚姻，一次是在 19 岁，嫁给了著名天文学家卡尔·萨根，一次是在 29 岁，嫁给了 X 射线晶体研究专家托马斯·马古利斯（Thomas Margulis）。她一生育有 4 个子女，儿子多里翁·萨根（Dorion Sagan）与她合作完成了前述《小宇宙》一书。65 岁时，她依然在早上 6 点骑自行车去上班。73 岁时，她因中风去世。

读者朋友可都是有思想、有意识的生物。不过，我跟多数生物学家一样，认为细菌是没有思想、没有意识的生物。其革新都是环境所喜欢的随机变异，并通过自然选择而传递了下来。这就是自然选择的进化的含义。

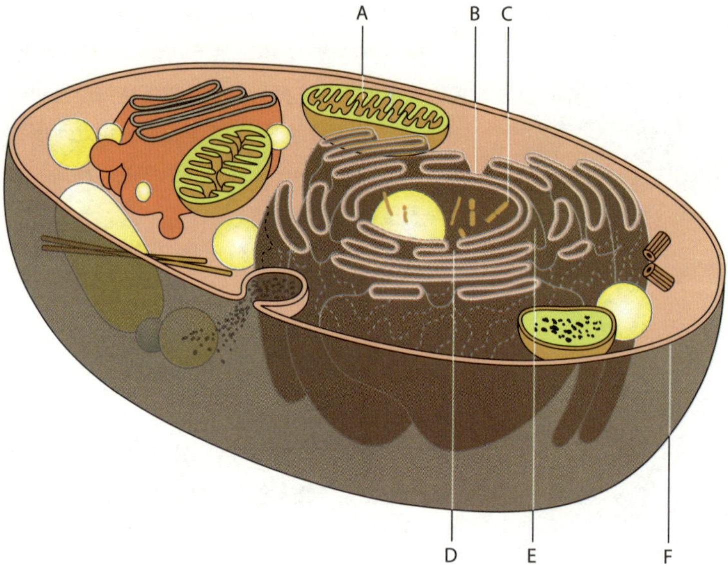

A 线粒体
B 核膜
C 染色体
D 核孔
E 细胞核
F 细胞膜

有核细胞

有核细胞由细胞核和细胞膜组成，细胞膜保护其遗传物质。整个细胞外部还有一层膜，细胞内各个部分十分活跃。

大约10亿年前，一些有核细胞演进产生了第4次重大的变革——有性繁殖。有性繁殖发生在藻类、阿米巴（变形虫）和黏菌之间。有些细胞的繁殖，在分裂的时候偶尔没有成功复制DNA。DNA单链细胞能够与另一个具有单链DNA的细胞配对，产生后代。相比细胞分裂复制DNA来说，这个过程在基因指令中产生了更多新的组合或变化。这种新出现的有性繁殖产生了更多的变异，因此后代的变异也就更多，发生革命性变化的速度开始加快。

下一章我们来学习有性繁殖出现后的情况。讲完这部分故事，我们需要思考一个问题：在地球存在的最初 20 亿至 30 亿年的时间里，细菌在整个地球系统中扮演了什么样的角色？

地球系统

从均衡方面来说，我们的星球并不是一个稳定的系统，而是一个不断变化的系统，许多部分相互交织、互相影响。我们在第 5 章已经说过，地球上几乎所有的物质原子基本都稳定地存在于地球上。但是能量不断地从地球上流入和流出，在不同地质时期的巨大跨度之间，从地球内部释放出来的能量和地球表面接收到的能量是不断变化的。

来自地球内部的能量在减少，因为地球刚刚形成时的热量在逐渐消失。同时，地球内部某些在太阳系形成之前那次超新星爆发过程中形成的元素的放射性，也在减弱。

随着时间的推移，太阳温度越来越高，释放更多的辐射，地球表面接收的来自太阳的热量也逐渐增多。自太阳系形成以来，太阳的能量输出已经增加了 30% 左右。但是，地球表面的温度并没有升高那么多，这是因为一些低强度辐射不断流入宇宙。而且，在下一章中我们将会学到，植物从海洋转移到地球表面，帮助吸收空气中的二氧化碳，将地球的温度维持在适合生命存在的水平上。

要想整体描述地球系统，我们就从无核细菌的光合作用开始吧。最初大气中主要是二氧化碳、氮和硫化氢，细菌通过向空气

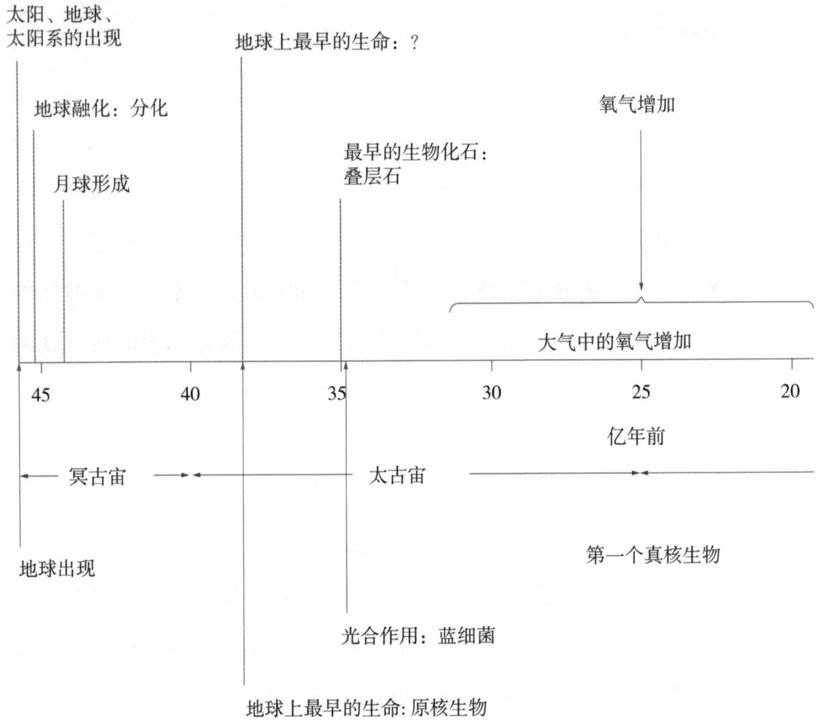

地球史大事年表

从图上可以明显看出，细菌在地球历史上占据了大部分时间。注意一下氧气在大气中的比重增加用了多久。人类在这个大事年表上，仅占据一丁点儿位置，其长度不足以在上面标注出来。

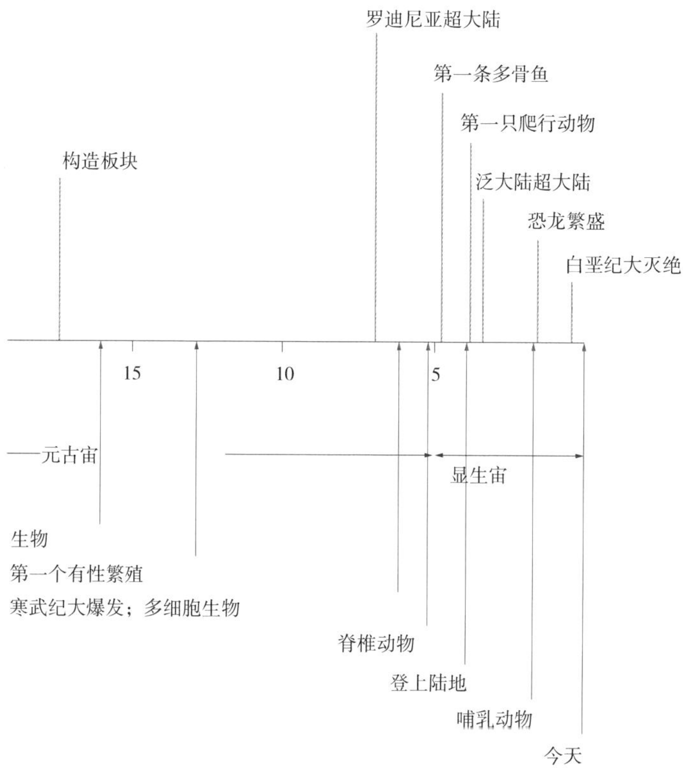
罗迪尼亚超大陆
第一条多骨鱼
第一只爬行动物
构造板块
泛大陆超大陆
恐龙繁盛
白垩纪大灭绝
15
10
5
元古宙
显生宙
生物
第一个有性繁殖
寒武纪大爆发；多细胞生物
脊椎动物
登上陆地
哺乳动物
今天

中输入游离氧，改变了大气。化学反应重新吸收游离氧，但在大约 21 亿年前，游离氧已经积累到了占空气的 3% 左右。

同时，游离氧也形成了一层 3 个氧原子构成的氧分子（O_3），叫作“臭氧”。这层薄薄的臭氧大约距离地球表面 30 千米（19 英里）。臭氧层保护地球免受紫外线辐射的伤害，最终使生命更易于往陆地上繁衍。臭氧层是逐渐形成的，大约在 6 亿年前发展到今天这个样子。

与此同时，板块构造的整个过程也在进行当中。地质学家能相对有信心地重构过去 5 亿年地球表面的板块布局。他们猜想，早期地球上存在微板块，随着放射性物质能量的减少和小行星撞击频率的降低，最终微板块形成了更大的板块。据估计，目前的板块构造活动，大约在 20 亿年前到 15 亿年前就开始了。

看了这一章讲述生物如何影响地球上的条件，你有何感想？英国大气化学家詹姆斯·拉夫洛克就思考过这个问题，他提出：或许生物是为了自身生存而创造并维持了这样的条件。这个提议就是著名的“盖亚假说”，命名源于古希腊语中表示“地球母亲”的词 Gaia［英语中地质学（geology）、几何学（geometry）和泛大陆（Pangaea）等词的词根也是 Gaia］。

研究地球系统的科学家正在寻找这一假说的相关证据。或许那些破坏自身生命条件的生物群落没有存活下来，而那些存活下来的，都没有做出破坏这些条件的行为，或者可能改进了这些条件。

微生物学家是如何做研究的

现代微生物学家的成果中，有一项已经推动了药物治疗的进步，把艾滋病从不治之症变成了一种可以治疗的慢性疾病。

艾滋病的英文缩写“AIDS”，是“获得性免疫缺陷综合征”（acquired immune deficiency syndrome）的首字母缩写。这种疾病于1982 年首次被命名，患者因罕见的肺炎，以及淋巴结和血细胞的癌症被夺去生命。当时没人知道导致这些疾病的原因。

一年之内，法国微生物学家吕克·安托万·蒙塔尼耶（Luc Antoine Montagnier）就找到了疾病的源头——艾滋病人的淋巴结和血细胞中存在的一种病毒。病毒要比一般的细菌小得多。病毒里含有遗传物质，包裹在蛋白质中，没有外膜，界于生命体与无生命体之间。病毒把自己的遗传物质注入宿主细胞中，劫持着细胞，让它按自己的指令行事。科学家把这种病毒命名为“人体免疫缺陷病毒”（human immunodeficiency virus），英文缩写为“HIV”。它在免疫系统的细胞中繁殖，降低免疫系统抵御其他疾病的能力。

到 20 世纪 90 年代，研究人员设计出了由许多不同抗病毒药物组成的“鸡尾酒”，可以终止这种病毒的繁殖。但是这类药物无法治愈该疾病，因为艾滋病毒能在寿命很长的细胞的 DNA 链中处于休眠状态。虽然艾滋病可以得到长期的缓解，但至今仍无法治愈。

到 2013 年，据估计全球已经约有 3900 万人死于艾滋病，还有3500 万人患有艾滋病，其中 71% 的艾滋病人生活在撒哈拉以南的非洲。据估计，至 2012 年，全球已经耗费 1890 亿美元来对抗这一疾病。

艾滋病毒通过某些体液（血液和精液）的交换而传播，此外，未经消毒的皮下注射针头，以及妊娠、分娩和母乳喂养过程等，也能传播艾滋病毒。但眼泪和唾液不传播病毒。现在微生物学家正在努力研究，寻找治愈艾滋病的方法，以及能预防艾滋病的疫苗。幸运的是，蚊子并不传播 HIV——蚊子的新陈代谢机制能够将这种病毒分解掉。

知识前沿的疑问

现在大家的问题板上应该有两个大问题：除了地球，宇宙中别的地方还有生命吗？人类是仅有的有意识的高级生命吗，或者，在别的地方是否还存在有意识的生命？

[地球之外的生命统称为“地外生命”。英语中的“地外”（extraterrestrial）一词，是两个拉丁词合在一起构成的，extra 表示“外”，而 terra 表示“地球”。]

没人能够解答这两个问题。至今为止，尚未发现任何地外生命。对于这些问题的答案，大家各执一词。一个极端认为，除了地球，别的地方没有生命；另一个极端则认为，许多宜居的星球上都有很多高科技、高智能的生命存在。介于两者之间的答案是：生命的出现是罕见的，但一旦开始就会进化；或者，生命的出现是常事儿，但几乎从未跨越简单的细菌这一阶段。

为了解答别的星球是否有生命存在的问题，科学家目前正在研究从地球的邻居火星上收集的证据。今天的火星，表面又冷又干，但是在早期，火星表面似乎比现在更加温暖，有流动的水。任何曾经可能在此存在过的生命恐怕都已灭绝。目前还没有发现生命的蛛丝马迹，进一步的研究似乎需要人类踏足这个星球。（参见第 11 章，阅读更多关于登陆火星的信息。）

在太阳系的其他行星中，没有哪个星球比火星更有可能具备生命所需的条件，换句话说，火星位于所谓的“宜居带”，距离太阳的位置适中，水能够保持在液体状态，不会冻住，也不会蒸发。金星上温度太高，而比火星更远的行星又都太冷。木星的几颗卫星，特别是木卫二，还有土星的几颗卫星，特别是土卫二，也具备支持简单生命出现的条件。

天文学家也已经开始寻找太阳系以外的所谓“太阳系外行星”（extrasolar planets 或 exoplanets）。1995 年，天文学家首次发现了一颗绕着与太阳类似的恒星旋转的行星，当它转到恒星前面时，造成了恒星亮度的明显降低，天文学家正是借此发现了它。从那之后，天文学家已经发现了 1000 多颗太阳系外行星，而且随着时间推移，发现得越来越多，包括处于宜居带的行星。寻找太阳系外行星的努力还在继续。（若想了解最新信息，请访问 http: //planetquest.jpl.nasa.gov/index.cfm。）

在银河系内部发现生命，并且是能与人类交流的文明，概率有多大呢？美国康奈尔大学的天文学家弗兰克·德雷克（Frank Drake）在 1961 年列了一个方程式，现在人们称其为“德雷克方程”。他把涉及可交流生命的所有因素都列了出来。这些因素包括每年银河系中形成的合适的恒星的数量，拥有着绕其运转的宜居行星的恒星数量，拥有着可以用无线电波交流的生命的行星数量，包括能交流的文明发明无线电的历史长短等等。（人类的无

普雷斯顿 · 克劳德

早期大历史学家

克劳德是一位地质学家兼古生物学家，是最早阐述行星系统中生物影响的学者，还撰写了从大爆炸到现在的相关著述。

普雷斯顿 · 克劳德（Preston Cloud，1912—1991）是美国地质学家兼古生物学家，对早期地球历史兴趣浓厚。他是最早了解到生物与整个行星系统相互作用的学者之一，还撰写了第一本大历史题材的著作。

克劳德昵称普雷斯，1912 年出生于马萨诸塞州西部，在宾夕法尼亚州的韦恩斯伯勒（靠近马里兰州边界）长大。父亲是工程师绘图员，母亲是系谱专家。家中共有 7 个孩子，他排行老三。

普雷斯从小到大都喜欢户外活动，在“童子军”中获得过“雄鹰”勋章。高中毕业后，美国经济正处于大萧条时期，他参加了美国海军，1930—1933 年服役，在太平洋侦察部队中获得过最轻量级拳击比赛的冠军，受到人们关注。（普雷斯身高 1.68 米。）

他决心接受大学教育，攒钱凑够了第一学期的费用，到位于华盛顿特区的华盛顿大学求学。入学后，他在国家自然历史博物馆做全职工作，晚上上课。他于 1938 年毕业，获得了地质学学士学位，又于 1940 年获得了耶鲁大学的地质学和古生物学的博士学位。

克劳德在学术研究和美国地质调查局的工作之间不断切换。哪里有吸引他的项目，他就去哪里。他写了 200 多篇论文和书籍，荣获了许多专业荣誉。他结婚 3 次，育有 3 个子女，还有 3 个继子女。同事曾跟他开玩笑，说他应该只穿懒人鞋，这样他就不会因为系鞋带而浪费时间了。

1968 年，克劳德认识到光合作用的细菌所产生的氧气，为有核细胞和之后的大型多细胞生物的诞生打下了基础。他想给子女解释所有地球系统之间的关系，这样他们就能了解自己所处的世界了。他的故事直到子女都长大之后才完成了第一稿。书稿遭到几个出版商的退稿，直到 1978 年才得以出版，这本书就是《宇宙、地球和人类》（*Cosmos, Earth and Man*）。

克劳德是一位愿意讨论人类政策和道德的科学家。他是最早警告人们“人口数量不断增加而可利用资源不断减少”这一危险的人。他对人类应该采取的措施提出了具体的建议：每个家庭都自愿控制生育，将孩子数量控制为两个，限制汽车大小和马力，成立名为“未来部”的计划中心等等。他在书的结尾总结道：“这本书进入尾声了，我想提醒读者，每个人要么心怀自然意愿，要么不”。（克劳德 1978，362）

线电广播历史还不到 100 年。）想更多了解德雷克方程，可以看第 2 章的内容。

1984 年，弗兰克·德雷克、卡尔·萨根以及其他一些人建立了“搜寻地外文明计划”（Search for Extra Terrestrial Intelligence），英文缩写是 SETI。1992 年，他们开始观测来自恒星的无线电波，这些电波都是自然形成的。他们要找的是与自然随机模式不同的具有特殊秩序的模式，不过，至今依然毫无所获。如果你愿意施以援手，可以使用免费的 SETI 屏幕保护程序，在你不用电脑的时候，允许电脑加入这项研究。（欲知详情，请关注 SETI@home。）

2015年，俄罗斯亿万富翁尤里·米尔纳（Yuri Milner）捐献了1亿美元，用来赞助搜寻地外生命。米尔纳从加利福尼亚大学伯克利分校挑选了几位天体物理学家，来领导这个为期10年的项目。他们借助全球各地的望远镜寻找激光信号和无线信号。

流行文化揭示了人们对地外生命探索的强烈兴趣。比如科幻电影《星球大战》（*Star Wars*，1977）和《E.T.外星人》（*E.T. the Extra Terrestrial*，1982）令观众痴迷，而且很多人都相信那些所谓的不明飞行物（UFO）目击事件。电影中所描绘的人类和外星人乘坐的星际飞船，在星系中快速穿行，经常能够碰到彼此。这极端不现实，因为星系之间的距离太远了。以目前火箭的速度，前往距离地球最近的恒星（4.24光年）大约需要10万年的时间。（不要忘了银河系的直径有10万光年。）

细菌和你

没有细菌，人类就不可能存在。我们的身体都由上万亿个动物细胞和十万亿个细菌细胞组成。细菌细胞的数量是动物细胞数量的10倍。每个人都是一个行走的微生物群落。

细菌不仅构成我们的身体，还让我们的身体发挥相应的机能。细菌处理身体产生的废物，在内脏中合成维生素，对抗外来微生物，还把从空气中吸收的氮转化成氨基酸。我们死后，主要由细菌负责分解尸体，把元素循环回到土壤，再由植物根系吸收，转化为生命。

细菌不仅让我们的身体保持运作，还让每一个细胞工作。正如本章中提到的，每个有核细胞都包含名为线粒体的细胞器，这些细胞器曾经都自由独立地生活在大海中。严格说来，你体内细胞中的线粒体，与之前在大海中自由生存的细菌，两者之间有着不曾中断的联系，你是从自己的母亲、母亲的母亲身上，一直继承下来的。

细菌还让环境能够维持在有利于人类生存的条件下。它们净化水资源，保持土壤肥沃，提供呼吸的氧气，保持大气稳定。

大部分细菌都是人类的同盟军。只有 1‰的细菌是病原体，能够导致疾病。不过人们常常盯着病原体细菌不放，也正是这些病菌坏了其他细菌的名声。不要做那种“宁肯错杀一千不能放过一个”的人，对于那些有益的细菌，要温柔以待。

你能想象有朝一日，人类可能再没有药物可以杀死导致脓毒性咽喉炎、耳内感染和肺炎的病菌吗？1928 年，英国科学家亚历山大・弗莱明（Alexander Fleming）发现了青霉素，这是首个抗生素（破坏或杀死细菌的药物），为人类做出了突破性贡献。二战之后，抗生素越来越容易买到。20 世纪 60 年代，美国卫生局局长宣布传染性疾病时代就此终结。但细菌总是不断变异，而且变异很容易，速度很快。有些细菌对目前的抗生素已经具有抵抗力了。2014 年 4 月，世界卫生组织发布了一份警告，指出微生物的抗药性已成为目前全球公共健康的严重威胁，而不只是对未来的预言。

让我们回到本章一开始提出的问题：生命是如何诞生的？答案尚不完全明晰，不过还是试一下吧。

推荐阅读

初级

Dawkins, Richard.（2012）. *The magic of reality: How we know what's really true*. New York：Free Press. [Chap. 9, Are we alone?]

Morgan, Jennifer.（2003）. *From lava to life: Book 2, The universe tells our Earth story*. Nevada City, CA：Dawn Publications, .

www.bighistoryproject.com

中级

Hazen, Robert M., and Trefil, James.（1991 & 2009）. *Science matters: Achieving scientific literacy*. New York：Anchor Books [chaps. 15–19].

高级

Cloud, Preston.（1978）. *Cosmos, Earth and man: A short history of the universe*. London and New Haven, CT：Yale University Press.

Duncan, Todd, and Tyler, Craig.（2009）. *Your cosmic context: An introduction to modern cosmology*. San Francisco：Pearson/Addison Wesley [chap. 13, The emergence of complex life].

Hazen, Robert M.（2012）. *The story of Earth: The first 4.5 billion years, from stardust to living planet*. New York：Viking.

Margulis, Lynn, and Sagan, Dorion.（1986）. *Microcosmos: Four billion years of microbial evolution*. Berkeley and Los Angeles：University of California Press.

Shubin, Neil.（2013）. *The universe within: The deep history of the human body*. New York：Vintage.

网址

http: //planetquest.jpl.nasa.gov/index.cfm NASA门户网站，可查询有关太阳系外行星发现的最新信息。

SETI@home SETI指导：如何通过运行免费程序，参与搜寻地外生命。

http://www.youtube.com/watch?v=B_zD3NxSsD8 《细胞的内部生活》（*Inner Life of a cell*），XVIVO（8 分钟）YouTube 动画视频，带你领略细胞的微观世界。

www.ted.com/talks　邦尼·巴斯勒（Bonnie Bassler），2009，《细菌如何交流》（*How bacteria communicate*）。美国分子生物学家解说细菌如何借助化学成分“交谈”。

7

Threshold 5 (cont.): Evolution of Life (b) —— Multicellular Life (2 billion – 200,000 years ago)

第7章

临界点5（续）：生命的进化（b）——多细胞生物（20亿—20万年前）

在地球上，细菌生物最终进化成有高级意识、有智慧且有关爱心的人类。这是怎么发生的呢？

在上一章中，我们将单个细胞分为2种：一种是无核细胞，一种是单核细胞。单核细胞可以分为3类：动物类细胞，如原生动物细胞；植物类细胞，如藻类细胞；真菌类细胞，如黏菌。有时，每类单核细胞均以集群形式出现，但它们不会以相互连接的方式共同发挥作用。

约10亿年前（没人知道确切年份），海洋里出现了第一个由多个相互联系的细胞（多细胞）组成的生物体。（那时的陆地十分贫瘠，没有植物、土壤或任何活细胞。）细胞逐渐发展，以化学方式结合在一起，实现了细胞的专门化，并实现了细胞间的交流。这是向更高复杂性的巨大飞跃，但是科学家们仍未能完全理解这一过程，也没有找到有关该过程的证据。他们只知道世界上有很多约6亿年前的多细胞生物体的化石证据。

寒武纪生命大爆发（5.5亿—5亿年前）

什么发生了大爆发？既不是小行星，也不是火山，而是进化出吻部、大脑、眼、腿和鳍等器官的众多生命体。地质学家将5.42亿—5.05亿年前的那段时期叫作“寒武纪”，寒武纪的英文是

“Cambrian”，该词来自坎布里亚郡（Cumbria），它是位于英国西北部的一个郡，人们在这里发现了很多寒武纪时期的化石。

最早的多细胞生物化石表明它们没有骨头或壳——只是柔软的糊状身体，就像管状海绵一样，但是结构更加简单。化石表明，大约在寒武纪初期，生物开始有骨骼或硬壳的痕迹。在接下来的2000万年里，这些生物体逐渐发展出了现代复杂生物所具有的全部结构。

每当化石记录中的生物数量迅速增加时，科学家们就会认为，可能是此前发生的事情使得许多物种灭绝，留下空间（生态位）供新物种发展。

科学家们认为寒武纪生命大爆发之前，发生了如下事件：地球处于一片冰冻世界之中，人们称之为“雪球地球”，那时地球的表面全部结冰——在此之前，地球上的温度要高许多。“雪球地球”是历史上第一次冰期。整个过程持续了约6000万年，期间陆地上没有生命，海洋里的生物也比这之前少得多。

是什么导致了“雪球地球”？最古老的说法是“超大陆假说”。据说11亿—7.5亿年前，罗迪尼亚大陆就已经存在于地球赤道处了。加拿大地质学家保罗·霍夫曼（Paul Hoffman）提出的假说认为，7.5亿年前，罗迪尼亚大陆的分裂导致降雨量增加，从而使得大气层里的二氧化碳下沉到地球表面。空气中二氧化碳的减少使得温度降低，碳酸盐岩石形成，这使气体循环中的二氧化碳含量进一步减少，难以控制的冰冻就在1000年之内发生了。为什么地球又变暖了呢？也许是因为火山补充了大气中的二氧化碳含量。二氧化碳可以保存热量，它的增加使得气温在几个世纪之内便由冰冻温度上升至 10 摄氏度（50 华氏度）。

无论是什么导致了寒武纪生命大爆发，许多生命结构形态仍保留至今。人类是从一种蠕虫状的会游泳的生物进化而来的。至寒武纪时期，这种生物进化成背部由软骨构成的长杆状生物，你可以在名为“皮卡虫”的化石中见到此类生物。这种生物可能是第一种脊索动物，它是所有脊椎动物（如鱼类、爬行动物、两栖动物、鸟类和哺乳动物）的祖先。脊椎动物指的是脊柱由骨骼构成的动物。逐渐地，鱼类约在 5 亿年前长出了脊骨、颌以及沿着脊骨分布的由大脑控制的神经。

登上陆地（5 亿—4 亿年前）

假设你是一株能进行光合作用的多细胞植物，漂浮在 5 亿年前的大海上。那时陆地上还没有生物，海水可以保护你免受紫外线（UV）的辐射伤害。你为什么还要离开海水呢？你又是如何做到的呢？你需要想办法保护自己的后代，想办法站立起来，甚至想办法保持体内的化学物质不会流失。这就像是人类尝试登陆其他星球时一样，他们需要太空服。

第一种离开海洋的生物一定是细菌，它们的体积太小了，不会留下痕迹。之后离开海洋的多细胞生物体可以分为 3 类：植物、动物和真菌。植物利用太阳光（能量），从土壤和空气中吸收养分（物质）；动物以植物和其他动物为食，可以利用自身储存的能量和物质；真菌可以在外部消化其他生物体，吸收其营养物质并向植物提供营养以交换碳水化合物。

第一种离开海洋的多细胞生物体是植物。绿色的光合藻类想方设法在大陆边缘地势低洼而又潮湿的沼泽里获得一席之地，也有可能它们只是被困在那里了而已。这些边缘地带变成了蓝色海洋边橘色石头旁的一片绿色。藻类可以释放氧气，使得大气中的氧含量增加，也使得臭氧层更为稳定，可以抵抗更多紫外线辐射。

约 4.75 亿年前，绿色藻类的后代变成了贴着地面生长的无根植物，有些像现代的苔藓类。它们只生长在潮湿的地方，依靠微小的孢子进行繁殖，人们在 4.75 亿年前的石头中发现了这些孢子。

接下来，苔藓和简单的维管束植物出现了，这些管束用于运送植物汁液——这便是植物体内的管路运输系统。真菌可以帮助植物根系生长。约 4 亿年前，比地面高仅几英寸的维管束植物占领了大面积的陆地。它们虽然没有叶子，却生长得很快。

约 3.6 亿—3 亿年前，地球上出现了种子植物构成的长满树叶的大型森林。这些树木死亡后倒伏，并被埋藏在沉积物中，沉积物上部的压力将它们转换成化石——这就是煤炭。因此，煤炭又叫作“化石燃料”。

绿色藻类来到陆地上 1 亿年后，动物也开始出现在陆地上。第一种来到陆地上生存的动物一定是蠕虫和不会飞的昆虫，它们来自浅滩——海边阳光照耀的边缘地带。最早的脊椎动物的化石是在中国发现的一种鱼骨，该生物约生活在 3.95 亿年前。一种有鳍状肢且能爬行的肺鱼的化石是已知最古老的化石，其历史可追溯到 3.75 亿年前。

约 3.4 亿年前，第一类两栖动物出现了。这种生物具备在陆地上生长的特点，它们有带趾的脚和可以听到声音的耳朵，但是它们需要回到海洋中产卵和受精。约 3 亿年前，空气中的氧含量增加，我们根据一些含气泡的树液的化石可以得知这一点，气泡中的气体就是存在里面的古时候的空气。

随着时间的推移，一些两栖动物进化成为爬行动物，它们不需要回到水里便能进行繁殖。雄性爬行动物可与雌性爬行动物交配，雌性动物的卵细胞在体内受精，而不是在水中进行体外受精。雌性动物产的卵带有坚韧的外壳，可以保护卵不会变干。最早的爬行动物出现于约 3 亿年前，但是直到 2.5 亿年前发生生物大灭绝之后，它们才真正开始大量繁殖起来。

这些大灭绝或物种大量死亡的时期将会在我们的故事里多次出现。我们已经了解了起初“雪球地球”是如何限制生命发展，又是如何在地球温度回升后引发新物种大爆发的。化石记录表明，地球上至少曾经发生了 5 次重大的生物灭绝，而很多小型生物也随之出现了。这些现象是地球生命的基本特点。

规模最大的生物灭绝称作“大灭绝”（Great Dying），发生于 2.5 亿年前。海洋中 90% 的物种和陆地上 70% 的物种都永久消失了。但是蟑螂却活了下来。银杏树和鲎的祖先也存活了下来。此外还有一些小型爬行动物也活了下来，那时它们开始进化成原始哺乳动物。

没人知道到底是什么原因导致了前面的 4 次大灭绝。（20 世纪 90 年代爆发第 5 次大灭绝的原因十分清楚，见下文。）没人知道确切原因，是因为地球系统十分复杂，交错联系，同时也因为年代久远，很多证据已经不复存在了。

很可能不止一个原因导致了大灭绝，而且也许这些因素并不是同时出现的，但它们的效应却不断累积。科学家们知道氧气水平从大森林时期的30%—35%下降至约20%，这就给习惯于高氧气含量的生物体带来了压力。

大灭绝时期发生了大规模的火山爆发，尤其是在西伯利亚地区，这就减少了太阳光的输入。一些证据表明，臭氧层也可能发生了瓦解，也许这是由西伯利亚火山喷射的物质导致的化学反应引起的。2.5亿年前的生物灭绝之后出现了一段空白期，一些生物迅速恢复，比如小型爬行动物进化成大型生物——恐龙，这些大型的陆地生物曾遍布地球各个角落，在接下来的1.5亿年间一直统治着地球，直到后来的另一场大灭绝使得绝大部分恐龙销声匿迹。

恐龙是如何遍布全球各地的呢？毕竟只有少数几种恐龙会游泳。原因也很简单——大约3亿年前，所有的陆地重新拼合在一起，形成了名为“泛大陆”（Pangaea）的超大陆。它涵括了地球上所有的陆地，且有3/4的面积位于南半球上。约1.75亿年前，这块超大陆再次开始分裂，由此产生了大西洋。（如果你想观看泛大陆的形成和分裂过程，你可以谷歌搜索“泛大陆动画片”。）

在我们继续讲述恐龙如何灭绝之前，我们需要注意一下生物体移居到陆地的另一个更为重要的结果：陆地上的生命创造了火。植物移居到陆地之前，陆地上还没有火的存在，这是因为没有可燃烧的东西。岩石只会发热和融化，却不会燃烧起来。

能证明火是什么时候开始存在的证据是木炭化石，又叫“丝炭”，可追溯至4.1亿年前。那时，大气中约有13%的氧气，氧元素可以吸收碳元素中的电子，引发燃烧。森林的发展速度很快，在 6000 万年的时间里，氧含量便骤增到 3.5 亿年前的 30%—35%。

由于陆地植物会自发燃烧，大气中的氧含量便不会继续升高。闪电会点燃森林、干燥的植物等，使得氧气含量保持在一定水平。碳输入到大气中，造成大气中的氧含量减少——这就是地球进行自我调节的完美实例。

碳也可以通过其他方式回到大气中。细菌和真菌进化出一种能力，可以分解死亡树木的木质部分。在煤炭形成时期，生物还不能分解树木的木质部分。因此，这些树木转变形成了煤炭化石。这种方法将碳储存在地下，而不是释放到空气中。当细菌和真菌可以分解木头后，煤炭的形成便终止了。如今，人类开采煤炭，等于快速地将埋藏的碳释放到空气中。

我们这种哺乳动物

当恐龙仍然存在时，第一种小型哺乳动物便诞生了。它们身体温热，体表覆有绒毛，它们便是有毛皮的“温血动物”。“温血”意为身体温度恒定。温血是新陈代谢（细胞内将食物转换成能量的化学过程）速率更高的结果。新陈代谢速率的提高也提供了更高水平的能量，能够适应范围更广的气候。哺乳动物和鸟类都是温血动物。

第一种哺乳动物出现于约 2 亿年前。它们从爬行动物的近亲进化成后来变成恐龙的一种生物。较早的原始哺乳动物是温血动物，体表覆有毛皮，但仍然依靠产卵进行繁殖。鸭嘴兽便是它们的后代。

最终，出现了可以让后代在其体内存活足够长时间、生下幼体而不再以卵的形式进行孵化繁殖的哺乳动物。像我们人类这样，母体和胎儿之间有胎盘连接的，又叫作“胎盘类哺乳动物”。最早的此类生物的化石在北京附近发现，其历史可追溯至1.25亿年前。在恐龙生活的时期，胎生哺乳动物体积仍旧较小，就像老鼠一般大小，夜晚时分在陆地上来回奔走，那时候，恐龙几乎无法看到这些小型生物，也就无法吃掉它们。

当胎盘类哺乳动物开始进化时，它们的后代会舔舐母体多毛的腹部分泌的汗液。随着时间的推移，这些汗液逐渐变成了甘甜、富含脂肪的乳汁。母体的大脑逐渐进化出足够的能力，知道爱护自己幼小无助的后代，长期照顾它们。

6600万年前的世界已经变成了大家熟悉的美丽的地方。泛大陆已经分裂，形成了大家熟悉的大陆。植物也进化出花朵。蜜蜂嗡嗡地飞来飞去。各种体积和种类的恐龙在每块陆地上都繁衍起来，它们其中的一个分支进化成鸟类。小型哺乳动物仍在夜间四处奔走。这幅画面会让学习过这些知识的人类小孩产生共鸣。

6600万年前的一天——根据你看问题的视角，既可以说是地球历史上最糟的一天，也可以说是最好的一天—— 一颗直径约为10千米（6英里）的小行星猛烈地撞上了地球。地球仅在该小行星的轨道上运行了几分钟，这颗小行星便撞上了地球，撞击点位于如今的墨西哥尤卡坦半岛边缘。第5次大灭绝就这样开始了。

这颗小行星的撞击造成了一个直径为180千米（112英里）的陨石坑，还引发了朝向各个方向的大海啸。它还激起了粉末状的尘土和岩石碎块，飞入高空，形成了黑云一般的尘土，环绕着整个地球，几乎完全挡住了阳光。许多植物都死了。小行星的撞击很可能还导致了火山大规模爆发，由此使得大气中的灰尘和二氧化碳含量增加，进而导致全球变暖和海洋酸化。

除了变成鸟类的那一支恐龙族系以外，所有的恐龙都死亡了。70% 的物种灭绝了。某些小型的毛茸茸的哺乳动物还能存活下来可谓是一个奇迹，也许是因为它们中的一小部分蛰居在了地下。

没人知道这场生物灭绝进行得多么迅速。撞击发生后，有些物种可能是在几天或几周内死亡的，另有一些物种可能在接下来的多年内死亡——100 年？或是 1000 年？10 万年？

我们之所以对这场生物灭绝了解甚多，多亏地质学家发现了小行星的线索，并找到了撞击坑的位置。而这些工作在 35 年前刚刚做完，即 1980 年至 1990 年间。

小行星撞击是人类历史中的重要事件。它使得捕食哺乳动物的恐龙灭绝了，给我们体型较小的毛茸茸的祖先提供了先前被恐龙占据的空间。在 500 万年的时间里，有些小型哺乳动物就学会了爬树寻找水果，它们进化成了猴子这一支。在 2000 万年的时间里，鲸、蝙蝠、马、大象的祖先以及猫和狗共同的祖先都进化产生了。

大型小行星的撞击是一种随机事件。地球处于其运行轨道上仅仅几分钟时间而已，并没有预先准备要迎向这个大石块或大冰块，这就是科学家所说的“偶发事件”。如果没有发生小行星撞击事件，地球上就不会有人类存在，科学家均认同这一点。

这次小行星撞击 1000 万年后，约在 5600 万年前，地球还经历了一次小型灭绝事件。全球温度上升了约 10 摄氏度，平均温度达到了 28 摄氏度（82 华氏度）。之后的 1000 年之内，数以千计的物种都消失了。

沃尔特·阿尔瓦雷茨

末日陨石坑的发现者

阿尔瓦雷茨是一位西班牙裔地质学家，以发现恐龙灭绝的原因而广为人知。

沃尔特·阿尔瓦雷茨（Walter Alvarez，1940 年生），是加州大学伯克利分校地球与行星科学系的退休教授。他提出了小行星撞击导致 6600 万年前的大灭绝的理论，恐龙便在这场大灭绝中销声匿迹。他也因这一理论而声名在外。

沃尔特出生于加利福尼亚的伯克利，他的父亲路易斯·阿尔瓦雷茨是诺贝尔物理学奖获得者。沃尔特原本认为地质学十分枯燥无味，但后来他改变了自己的想法。沃尔特的母亲杰拉尔丁曾带着沃尔特和他的姐姐一起乘火车穿过景色壮丽的美国西部，还给沃尔特买了他的第一把岩锤，告诉他在伯克利山的哪些地方可以搜集到矿物。

阿尔瓦雷茨选择了明尼苏达州的卡尔顿学院，在那里获得了地质学学士学位，那一年他 21 岁。之后他去了普林斯顿大学继续深造，攻读地质学博士学位。他在进行学术研究的同时，还参加了很多加勒比海地区的户外探险活动。1965 年，他与米莉·米尔纳结婚，她是一位热爱远足和露营的心理学研究生。

起初，阿尔瓦雷茨为一家石油公司工作，工作内容是在荷兰和利比亚寻找石油。之后，他申请了一份研究生奖学金，和考古学家们一起研究罗马附近的火山。再后来，他成了哥伦比亚大学拉蒙特－多尔蒂地质观测站（Lamont-Doherty Geological Observatory）的研究员。

阿尔瓦雷茨进行地质调查期间，对意大利产生了浓厚的兴趣。夏季时，他和米莉回到古比奥，这是一座位于亚平宁山脉处罗马北部的中世纪城镇，附近的山脉上有壮观的石灰岩峭壁，这些岩石记录了地球上 1 亿年的历史。石灰岩曾经沉积在深海之中，没太受到侵蚀。阿尔瓦雷茨和他的地质学家朋友们意识到这些石灰岩提供了世界上最好的历史顺序记录，这是研究地磁倒转的绝佳之地。

在古比奥附近，阿尔瓦雷茨发现恰恰就在 6600 万年前的石灰岩层和这个时间点之后的石灰岩层之间存在着一条狭窄的黏土带（约有半英寸厚），这条黏土带中没有任何生物体的微小化石。进一步的分析发现，这层黏土中含有铱——这是一种地球上并不常见、但在小行星中普遍存在的元素。深入研究表明，在整个地球的许多地方的含铱层，它们都出现于约 6600 万年前。

阿尔瓦雷茨向他身为物理学家的父亲寻求帮助。1980 年，他们共同提出了一个假说，即恐龙灭绝是巨型小行星撞击地球的结果。（那时，阿尔瓦雷茨已经回到了伯克利，在加州大学从事教学工作。）

大部分地质学家对于这一说法都持怀疑态度，甚至不屑一顾。谁能想象出这样的事情呢？那时尚不知道有与当时的情况相吻合的、大小也合适的撞击坑。

但是那些相信撞击理论的地质学家并没有放弃。他们意识到，撞击坑有可能埋在了水下，那样会导致大型的海啸。他们又开始寻找海啸留下的证据。终于，在 1990 年，他们找到了一个直径 180 千米（112 英里）的撞击坑，它深深地隐藏在地表之下，就位于墨西哥尤卡坦半岛海岸以外不远处。这一发现所提供的证据，最终使得大部分地质学家接受了小行星撞击的假说。阿尔瓦雷茨将 30 年来寻找这个撞击坑的经历写成了一本十分吸引人的书，书名为《霸王龙和末日陨石坑》(*T. Rex and the Crater of Doom*)。

阿尔瓦雷茨也获得了很多学术奖项。其中最高的奖项可能是 2008 年获得的维特勒森奖，许多人认为这是地质学界的诺贝尔奖，因为诺奖不包含地质学领域。阿尔瓦雷茨将外星对地球的影响的研究，从科幻小说变成了科学。他改变了我们看待地球历史的方式，找到了小行星撞击以及进化并非总是渐进发生的证据。

在 2009 年的一次采访中，阿尔瓦雷茨说道："地质学是 21 世纪最重要的科学，这是因为世界上只有一个地球，而且我们越来越清楚我们很有可能会破坏地球，让地球超过它所能承担的极限。"(帕米拉·温特劳布，《发现杂志》，2009 年 10 月；见 discovermagazine.com/2009/oct/26-the-man-who-discovered-what-killed-the-dinosaurs。)

很显然，火山爆发通过增加大气中二氧化碳和甲烷的含量而导致了全球温度上升。海平面上升、海洋酸化使得生态系统向两极转移。这一阶段被称为"古新世—始新世极热事件"(PETM 事件)，它是地球历史上进展最快速、记录最完备的温度变化事件。

在这段温暖的时期，爬到树上寻找水果的小型哺乳动物的爪子进化成了手。它们的手指上长出了指甲，出现了大拇指，生长方向与其他手指相对，方便它们一只手抓住树干，另一只手摘取水果。随着它们在树枝之间来回跳跃攀爬，它们的眼睛进化产生了三维视觉。慢慢地，它们进化成了猴子。

2500 万年前，当地球上的温度再次降低一些的时候，其中的一些猴子重新回到地面上寻找食物。它们成了猿类——黑猩猩、大猩猩、长臂猿和猩猩——的一支。猿类的一个分支——黑猩猩，进化成了人类。我们会在下一章讲述这个故事。

进化生物学家是如何工作的

你听说过进化 / 发育这个新领域吗？这是结合了进化生物学和发育遗传学的领域。这一领域包括发掘化石并利用最先进的分子诊断技术进行分析。它利用化石和基因这两者共同讲述这一故事。

进化 / 发育领域的开拓者是尼尔 · 舒宾博士（Dr. Neil Schubin），他现在是芝加哥大学的生物学和解剖学教授，同时也是菲尔德自然历史博物馆的主任，还是一位很受欢迎的作家。

舒宾在费城附近长大，他对美利坚合众国的起源兴趣十足。他进入了纽约的哥伦比亚大学，在那里他的大部分时间都是在自然历史博物馆中度过的。除了保持对美国起源的好奇之外，他还将注意力集中在了进化过程中的大事件上。他想要明白这些重大转变是如何发生的——鱼类如何来到陆地上，爬行动物如何进化成哺乳动物，鸟类是如何开始飞翔的。

1987 年，在哈佛读完博士学位后，舒宾回到费城的宾夕法尼亚大学进行教学和科研工作。为了研究鱼类来到陆地的进化过程，他需要找到3.8亿—3.65亿年前的化石。幸运的是，宾夕法尼亚有很多古老的化石，但是除了建造高速公路的地方之外，大部分化石仍然埋藏在地下。

然而，宾夕法尼亚的化石年代还不够久远，还无法看出鱼类从水里到达陆地这一过程的转变。舒宾意识到他需要找到3.75亿年前的化石。他找到一张20世纪70年代早期绘制的地图，地图上显示加拿大北极地区的埃尔斯米尔岛（Ellesmere Island）上有裸露的岩石，这个地方还没怎么被人探索过。化石形成的时候，这座岛屿曾经是位于赤道地区的大陆的一部分，气温比现在要高许多。

舒宾和另外两个人筹集资金租用了一架飞机和几架直升机。三人还学会了如何在低温环境下露营。他们在6年间进行了4次探险考察，每4天就有一天因风雪雨雾而无法外出考察。

2004年，这队意志坚定的研究人员终于找到了苦苦追寻的东西——从鱼类到两栖动物的过渡生物的骨骼化石。他们发现3个几近完整的四足生物的骨架，他们用因纽特语给这些骨架起名为“提塔利克鱼”（Tiktaalik），意思是“大型淡水鱼”。

就在舒宾和他的同伴进行研究的同时，宾夕法尼亚的多佛进行了一场审判，因为有些人认为公立学校应该开设“智慧设计论”（相信宇宙及生物是智能创造的结果）课程。他们认为进化论不可能是正确的，因为化石记录中仍有许多断裂。他们认为这些断裂表明，各种物种是由一位聪慧的创世者设计出来的。

提塔利克鱼证明他们的论点是错误的。这些化石恰好填补了鱼类和两栖动物之间空缺的记录。提塔利克鱼既有鳃，也有肺，它还有带状、不完整的鳍。它会游泳，生活在浅水中，在那里它可

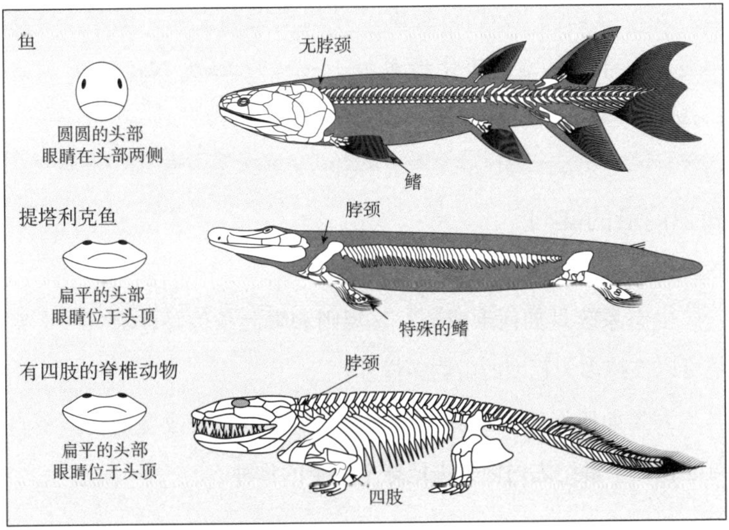

提塔利克鱼：介于鱼类和陆地动物之间的一种生物
后来证明，这种命名为提塔利克鱼的化石生物是介于鱼类和生活在陆地上的生物之间的中间形态。其骨骼展示出鱼类的鳍进化成前肢的一个阶段。

以躲避体型较大的鱼类捕食者。它有扁平的头部，眼睛位于头顶，也有脖骨、肩膀、肘和手骨。它可以在泥浆中匍匐前进，但不能行走。它是一种必定会存在的化石，但是为了发现并研究它，专家团队经过了数年的潜心工作。

舒宾提到了最近 15 年古生物学者的伟大发现，并期待未来 15 年会有更多的发现。他对未来持乐观态度。在他的著作《身体中的宇宙》（*The Universe Within*）的结尾部分，舒宾写道："从人类文明诞生以来已有 1.1 万年的历史了。我们周围的变化速率日益加快，想象一下，再过 1.1 万年，人类的能力会发生多大的改变。"

如果你想看一下舒宾是如何谈论寻找提塔利克鱼的过程

的，你可以访问 YouTube 搜索《寻找提塔利克鱼：尼尔·舒宾阐述从海洋到陆地的进化步骤》（*Finding Tiktaalik: Neil Shubin on the Evolutionary Step from Sea to Land*）。

知识前沿的疑问

生态系统是如何形成的？其规则和限制条件是什么？一个系统可以支持多大程度的生物多样性？

人类如何保护生物多样性？如果不做出重大改变的话，我们可能在一个世纪之内便失去地球上一半的物种。

你体内的鱼

［这一短语取自尼尔·舒宾的畅销书《你体内的鱼：35 亿年的人体历程》（*Your Inner Fish: A Journey Into the 3.5 Billion-Year History of the Human Body*）。］

人体内的脊椎在鱼的进化阶段就形成了，但是鱼类生活在水里，而你生活在陆地上。鱼类的很多特点都发生了进化，从而使得人类可以生活在陆地上：鱼鳃的骨头和结构经过进化，形成了如今人类用于咀嚼、讲话和倾听的肌肉、神经和骨骼；人的肺取代了鱼鳃，而人的四肢则是由鱼鳍进化而来的；人在体内完成卵细胞受精，而不是像鱼类一样，在水中进行体外受精。

成年人的身体约有 57% 是水分。（新生儿约为 75%，随着年

爱德华·O. 威尔逊

蚂蚁学专家

威尔逊是一位蚂蚁学家，同时也是世界蚂蚁专家和人类知识的集大成者。

爱德华·O.威尔逊（E. O. Wilson）说道："大部分孩子都有过喜欢虫子的时期，而我则一直保留这种兴趣。"[《博物学家》（*Naturalist*）1994，56]

威尔逊是一位生物学家、理论家、博物学家，也是一位获奖作家。他的专业是蚁类学——这是一门研究蚂蚁的学科，他是该领域的世界顶尖专家。1996年，在进行了长达41年的教学和科研工作后，他成为哈佛大学的荣休教授（荣誉退休）。

威尔逊生于亚拉巴马州的伯明翰。他是家里的独生子，父母经常搬家。在威尔逊7岁的时候，他的父母离婚了。同年，他独自在甲板上钓鱼，由于用力过大，一截鱼的脊椎打到了他的右眼上，使其右眼失明。从那时起，他便开始观察更小的生物，对于这些小生物，他会拿起来，靠近了仔细观察。

他曾经在海湾海岸军事学院学习一年，在那里接受了艰苦而高标准的训练。13岁那年，他在亚拉巴马州的莫比尔（Mobile）发现了入侵生物红火蚁的蚁群，这是第一次有人记录这种蚁群。14岁的时候，他在基督教福音派新教徒教堂中成为"重生的基督徒"，他将《圣经》从头至尾读了两遍。16岁时，他获得了鹰级童子军军衔。后来，他逐渐放弃了宗教，17岁时，他便完全沉浸于博物学中了。

威尔逊勉力支付大学学费，获得了亚拉巴马大学的生物学科学学士和硕士学位。之后他去了哈佛大学从事研究工作，因为那里有世界上最好的蚁类收藏。获得博士学位后，他花了3年时间在世界各地进行研究工作。

威尔逊的研究涉及极小和极大的方面——极小的一面，是研究蚂蚁物种的分类，大的方面，是将多学科的模式和观念——包括人文学科在内——应用到蚂蚁研究中。他做了好几项富有原创性的综合工作，这些工作极大地丰富了与他同时期的知识分子的观点和词汇。

威尔逊于1975年出版的《社会生物学：新的综合》（*Sociobiology: The New Synthesis*）最先引入了“社会生物学”（sociobiology）这一术语，将其定义为对所有形式社会行为的生物学基础的研究。这一观点引起了很多相信社会行为完全是从文化习得、而不是受基因控制的人的反对。现在，“社会生物学”这一术语比“进化生物学”用得少了一些，但两者的意义却是相同的。

1978年，威尔逊的《论人性》（*On Human Nature*）一书出版，对这场争论可谓火上浇油。在这本书里，他使用了“进化之史诗”（evolutionary epic）这一说法，而埃里克·蔡森和其他人都将这一观点表述为“进化史诗”（the epic of evolution）。威尔逊认为“进化史诗”这一说法就如同“宗教史诗”一样高贵。

在综合阐述了一番宏观的观念之后，威尔逊又回头开始研究蚂蚁。他和同事伯特·霍尔多伯共同撰写了一部关于地球上的蚂蚁的图册，其中大部分蚂蚁物种都未被人们所认识。8年后，威尔逊的《知识大融通》（*Consilience: The Unity of Knowledge*，1990）一书出版，该书再次主张跨学科的思维方式，整部书的内容通俗易懂。

威尔逊的妻子是艾琳·凯利·威尔逊（Irene

Kelly Wilson），一般人都叫她蕾妮（Renee），两人育有一女，叫凯瑟琳。威尔逊建立了一项基金，用于保护地球上的生物多样性。爱德华·O. 威尔逊生物多样性基金设立在北卡罗来纳州达勒姆的杜克大学。

想要了解威尔逊的生平，包括相关视频，点击 http: //eowilsonfoundation.org/e-o-wilson/。

从鱼类到人类的手臂骨骼变化

鱼鳍经过了约 5 亿年的进化才形成了如今人类的手臂骨骼。你能想象得到鱼类就是你远古时的祖先吗?

龄的增长，人体内的水分比例逐渐减少。）为了保持人体内的水盐平衡，人类的肾变成了专门化的器官。当你还是母体子宫内的胚胎时，肾器官的发育就要依次经历 3 种不同的形态：第一种肾是沿着你的身体排列且有开放腔室的组织团块；第二种肾与人体背部等长，排列在背部，就像有骨骼的鱼的背部一样；第三种肾位于体内背部靠下的位置，与哺乳动物相似。第三种肾在胚胎发育 3 个月末尾的时候出现，在这段时间内，这种形态的肾会取代其鱼类形态。

同样，人类胚胎在发育的前 3 周会生长出 4 个小隆起，它们叫作“弓起”，每个都是由皮肤褶皱分离开的，位于以后形成头部的团状物下方。鱼类的胚胎起初也有类似的弓起。鱼类身体上的皮肤褶皱形成了鱼鳃之间的开放空间，鱼鳃则是水流流过的地方。人类身体上的褶皱则是非开放型的，那些弓起会发育形成耳部骨骼、颌和喉咙。在胚胎发育过程中，包括从鲨鱼到人类的所有动物，其头部都会有类似的弓起。

我们来设想一下，假设从细菌进化成人类的时间线长度与你的身体等宽。首先，向两侧张开双臂。从你的左手，经过胸腔，一直到过了右肩的位置，代表的是地球上只有细菌这种生物体的时间。多细胞生物出现的时间大约位于你的右胳膊肘所代表的时间点。恐龙出现的时间大约是你的右手掌所代表的时间，而它灭绝的时间则是你的中指最后一个指关节代表的时间。人类进化（见下一章）的整个故事就像是剪下来的指甲（这一说法源自理查德·道金斯，2011，12—13）一样的厚度。你需要注意一下用这种比例尺来描述人类进化的进程，只能是回溯到 35 亿年前，而不是回溯到

130 亿年前人类体内某些原子产生的年代。

所以当你双臂环抱住心爱之人时，你要记得（如果在那样的时刻你还能想到这样的话题的话）人类那身上布满毛发的哺乳动物祖先，利用双臂在林间树枝上荡来荡去寻找食物所经历的几百万年时间。

让我们回到本章一开始提出的问题上：细菌是如何进化成人类的？

继续探索

初级

Morgan, Jennifer.（2006）. *Mammals who morph: Book 3: The universe tells our evolution story*. Nevada City, CA：Dawn Publications.

Dawkins, Richard.（2011）. *The magic of reality: How we know what's really true*. New York：Free Press [Chap. 3].

www.bighistoryproject.com

中级

Alvarez, Walter.（1997）. *T. Rex and the crater of doom*. Princeton, NJ：Princeton University Press.

高级

Hazen, Robert M.（2012）. *The story of Earth: The first 4.5 billion years, from stardust to living planet*. New York：Viking.

Shubin, Neil.（2009）. *Your inner fish: A journey into the 3.5-billion-year history of the human body*. New York：Vintage.

Shubin, Neil.（2013）. *The universe within: Discovering the common history of rocks, planets, and people*. New York：Pantheon Books.

Zalasiewicz, Jan.（2010）. *The planet in a pebble: A journey into Earth's deep history*. Oxford, UK：Oxford University Press.

网址

http: //www.youtube.com/watch?v=yvDQCa7riel　2013 年 2 月 27 日，《寻找提塔利克鱼：尼尔·舒宾阐述从海洋到陆地的进化步骤》（*Finding Tiktaalik: Neil Shubin on the Evolutionary Step from Sea to Land*）。舒宾在 YouTube 上讲述了他发现提塔利克鱼的过程。

http: //www.youtube.com/watch?v=H4c8L3vUH6Y　2009 年 10 月 8 日，《寻找你体内的鱼》（*Finding Your Inner Fish*）。尼尔·舒宾在 YouTube 解释了人类是如何了解 35 亿年的历史的。

discovermagazine.com/2009/oct/26-the-man-who-discovered-what-killed -the-dinosaurs 一本流行科学杂志讲述了沃尔特·阿尔瓦雷茨的故事。

http: //eowilsonfoundation.org/e-o-wilson 威尔逊用视频的形式讲述了他的一生。

8

Threshold 6: The Appearance of Humans (About 200,000 years ago)

第8章

临界点6：人类的出现（约20万年前）

现在，我们开始讲述与人类有关的故事了。你觉得，人类是怎样一种生物？相对于其他物种，我们有什么特别之处？成为人类意味着什么？

你可能已经知道了现代人类（智人）最近的亲戚是黑猩猩。基因研究表明，比起其他猿类，人类的基因与黑猩猩的基因最为接近——人类基因中约有98%的基因与黑猩猩体内的基因相同。

这些联系是否能说明人类就是现代黑猩猩的后裔？现在世界上存在着一种人类和两种黑猩猩，有没有可能人类就是这些现代黑猩猩的后裔呢？不，当然不是。现代黑猩猩要想进化成人类，还没有足够的时间。

实际情况是，现代人类和现代黑猩猩是由共同的祖先进化而来的。这一共同祖先生活在500万—800万年前，那时这一祖先出现了分支。基因研究也证明了这一过程。正如我们看到的，和黑猩猩比起来，人类在从共同祖先进化到现在的过程中经历了更大的变化，这可能是因为人类所处的生活环境更加多变，也可能是因为人类在生物进化的基础上还经历了文化进化。

我们先来进行一项思维实验来帮助我们了解人类的进化过程，之后再来继续讲述我们的故事。假设，你在自己的照片上方摆放一张父母的照片，然后，在你父母的照片上方再摆放一张祖父母的照片，之后，在你的祖父母的照片上方再摆放一张曾祖父母的照片。假设你一直按这样的顺序把照片摆放下去，一直摆1.85亿张。假设你能让这一摞照片侧着立起来，如果每张照片都和明信片大小、厚度相同，那么这一叠照片就会大约有 64 千米（40 英里）宽。

那么，在最左端的照片里，倒回去 1.85 亿代（假设每隔 26 年产生一代），你的祖先看上去是什么样子的呢？你可能已经猜到了，你的祖先看上去就像鱼一样。为什么会这样？这一系列照片，每一张都和上下紧挨着的照片十分相似，但是经过了足够长的时间，鱼类就变成了人类。这个过程是逐渐发生的。

在这个过程中，绝对没有出现过一只类似黑猩猩的生物突然生出一个现代人类这样的时刻。从智人出现到现代人类，中间历经了约 8000 代。如果你想看到最早的直立人，你需要回溯 2 万—4 万代；如果你想了解一下我们和黑猩猩的共同祖先，你需要回溯 20 万代。（感谢理查德·道金斯提出的这一思维实验。）

在整个进化史上，有一个需要我们格外注意的词，这个词指的是在人类与黑猩猩最后一代共同祖先之后，所有能够进化成人类的物种。这一术语曾写作“hominid”（人科动物）。由于灵长类动物学家对人类与大型猿类之间的基因关系有了更多的了解，因此他们将这一术语改为了“hominin”（人族）。这就是我们在接下来的章节中使用的术语。

人族的演进

500 万—800 万年前，地球表面的情况看起来就比较熟悉了：陆地和海洋的外形有了我们能够辨认出的形状，非洲大陆的地壳构造板块开始断裂。在如今埃及所在位置的东边到如今的莫桑比克，出现了裂缝。因这条裂缝而产生的峡谷和山脉，将气候分成了多种多样的微气候。大部分记录了人族进化的化石都来自东非大裂谷的某处。由于裂缝而产生的活火山喷发出了火山灰，掩埋并保存了它们的遗体和残骸。

在上一章中，我们提到 5600 万年前气温骤升后又经历了气温降低的过程，当时全球的平均气温是 28 摄氏度（82 华氏度）。约 2000 万年前，冰川又开始形成了。到我们和黑猩猩的共同祖先出现的时候，全球平均温度下降到了 15 摄氏度（59 华氏度）。

人类这一物种进化的年代是全球温度持续下降的时期。温度变化也变得难以预测。过去 300 万年间，气候在冰期和温暖期之间反复变化了约 17 次。每一次，冰川向南最远都能到达美国中西部，遍布欧洲北部和西伯利亚，而海平面会下降几百英尺。

温度这种飘忽不定的变化是什么造成的呢？科学家认为约 4500 万年前开始的温度下降的趋势，将地球温度置于一个易受 3 项因素影响的温度区，这 3 项因素包括地球的轨道、倾斜度和摆动（见第 5 章）。某些气温下降是由大陆地壳的运动导致的。例如，巴拿马陆桥关闭，以及南亚次大陆和亚洲大陆板块发生碰撞等。

所有的早期人族化石都是在非洲发现的。现在似乎很清楚了，综合化石和基因证据表明，人类起源于非洲。最初我们都是非洲人。达尔文根据我们最近的亲戚黑猩猩和大猩猩都在非洲这一事实，同时根据在赤道地区生活才会造成体毛减少这一逻辑，早就认为人类是起源自非洲的。

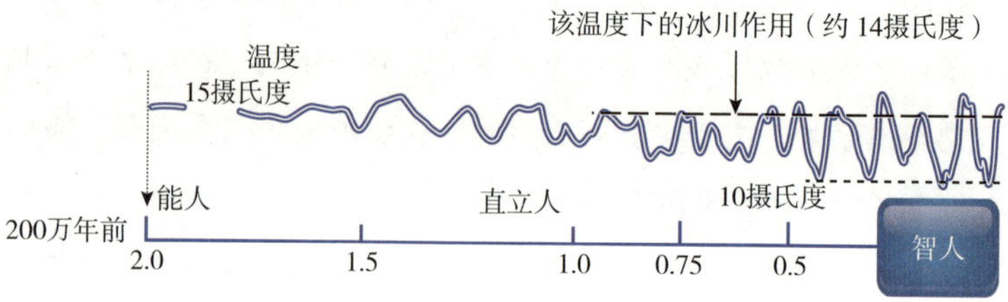

过去 200 万年来的温度

过去 100 万年间，气候在冰期和温暖期之间频繁交替，温度变化也更加频繁。

人族进化的故事线现在还不是十分清晰。考古学家发现了至少 20 种不同的人族物种，但是只有我们这一种生存了下来。其他物种之间是如何联系的现在还不明确，证据不足，因而较难判断。我们接下来要讲述的是一个大致的梗概。

随着气候变得凉爽，东非地区的热带雨林逐渐变得稀疏，后来变成了草原。供类猿人族寻找水果和栖息的树木越来越少，他们不得不开始同时适应森林和开阔的热带大草原上的生活。他们离开了树木，或者可以说是树木离开了他们。

人族为适应环境做出的第一个改变是靠两条腿直立行走。已发现的最早的人族骨骼化石证明了这一点。髋骨位于骨盆之上，下肢骨骼则更加细长坚硬。最早的化石便是地猿始祖“艾迪”（Ardi）的化石，据测定是 440 万年前的一位女性人族。最著名的化石则是露西猿人化石，据推测大约在 320 万年前。这一时期的化石属于“南方古猿”（Australopithecus），这样命名是因为考古学家最早在

南方古猿
是人科动物的一个已灭绝的属，具有猿类和人类的中间体型。

南非发现了第一块这种化石。（我们不清楚比这更早的化石是属于人族还是属于黑猩猩这一支。）

像现在的黑猩猩一样，早期的人族可能不会游泳。东非地质构造板块上出现了裂缝，由此产生了峡谷，而这些早期人族很有可能无法穿过峡谷间的河流。这就可能隔断了他们和生活在热带雨林里的同源生物的联系，他们为了在草原穿行，进化出可以直立行走的特性。

可以直立行走、脑容量较小的南方古猿开始遍布东非各地。他们缓慢地进化出协调的双足，胳膊也变得更短。最终，人族学会了利用燧石制造工具，他们可以利用这些石头来切割兽类的躯体。最早的燧石刀据测定是 250 万年前的。Homo 这一术语用于表示“人，人类”，指的是人族中会使用工具的物种，因为早期的古生物学者相信制造工具是人类最重要的特点。现在，古生物学者知道很多其他动物也会使用工具，只不过人类使用的工具更有效、更复杂。

约 180 万年前，一个叫作“直立人”的新物种产生了。他们的内耳中形成了能起平衡作用的半规管，如此使得他们能够跑、跳、舞蹈和一起行进。他们的大脑体积也增加了，这种生物的脑容量达到了现代人类脑容量的 70%，体积和西柚差不多大小。

脑容量增加的同时，他们的盆骨逐渐变窄，以支撑他们进行直立行走。你会看到这种变化带来的问题——婴儿的头部体积变大，分娩时是如何穿过变窄的盆骨的？

所以婴儿是在头部较小的时候提早出生的，这样的婴儿更容易在生产过程中存活下来。因为他们尚未成熟，所以在他们学会独立生存之前需要长期的照顾，这一点和许多其他动物的幼崽不同。因而，父亲和母亲形成了长期的关爱关系，一起照顾婴儿。在某种程度上，人族的女性为了获得保护和食物，放弃了交配自由，而男性也放弃了一部分，以便让更多的后代生存下来。父母对孩子的照顾以及两性合作成为人族发展中的常见现象。

约 150 万年前，直立人学会了控制火。他们可能是学会了让闪电点燃的尚有余火的木块保持燃烧。他们利用火来取暖，在开阔的地方驱赶动物以捕杀它们，用火设置陷阱来诱捕动物，或是用火烹煮食物。

烹煮食物可以说是人族的一大进步。相比以往，他们可以更容易地消化植物的种子和根茎。他们可以将捕猎获得的肉带回家，围着篝火分享，在这种环境下，他们发展出了说话和讲故事的能力。由于烹饪使得食物更易消化，因此他们的肠子变得更短。这一过程释放了更多的能量，可供体积更大的大脑来使用。

火对于整个人类的故事十分重要。这是人类首次开始使用除食物之外的能量来源。能量利用效率增长的过程，可以说决定了人类社会的形态。

直立人是人族中第一个离开非洲的物种，这可能发生在 180 万年前。他们的群体学习能力积累到了一定程度，使他们能够适应不同的温度和环境。直立人穿过今天的沙特阿拉伯，到了以色列、中东、欧洲、格鲁吉亚和亚洲等地。在中东和欧洲，他们学会适应冰川环境，进化成尼安德特人。但是到达亚洲的人族总体上变化不大。同时，仍然生活在非洲的那些人族进化成了智人。

现代人类（智人）的出现

在直立人出现后约 200 万年，一个新物种——我们人类——出现在 20 万年前的非洲某处。其发生缘由尚不明确。一群直立人可能受到山脉或河流的阻隔，变得隔绝起来，或者是这些地区的直立人发生了基因改变。微小的基因变化，在一个小的种群中迅速得到了传播，最终产生了巨大的效果。

那么，这些基因变化是什么呢？智人和直立人究竟有什么区别呢？在我们的故事里，这一区别构成了临界点 6 的内容——一个大型物种的出现，他们是第一个能在很短的时间内改变地球面貌的物种。比起地球历史之前的阶段，人类开始使用更大的能量流，并对自然环境产生了更快的影响。

专家们一直在争论现代人类到底有什么独特之处。过去，他们一致认为，能够使用工具是人类独有的特点。也有人说应该是使用火，只有人类才这么做。也有些人说是会利用工具来制造工具。现在，专家们倾向于认为人类的主要特征是我们使用语言的方式。人类能使用符号并依照语法规范来使用语言，这使得人类能够准确地表达意思。人类能够讨论过去、现在和将来，还能讨论完全虚拟的情况，这些是其他动物做不到的。许多动物好像都有意识，但是只有人类才能进行内心独白，这要靠精确的语言来支撑。

历史学家和人类学家使用“群体学习”这一术语来描述现代人类的独特性，它指的是我们利用语言技能分享知识，并将知识传递给后代的能力。通过这种方式，知识得以积累下来。这种群体学习的积累赋予了现代人类其他动物无法比拟的力量和优势。

由于缺乏证据，因此考古学家很难确定人类高级的语言技巧是何时进化产生的。我们目前所有的只是化石记录里的一些蛛丝马迹，以及许许多多的理论。但有一点似乎是清楚的，这种能力是人脑所固有的。因为婴儿学习讲话的过程，比其他任何需要反复试错来学习的过程都要快得多。但这种能力似乎不是只位于人脑的特定区域，而是由相互作用的神经元网络所连接的几个区域共同作用的结果。

黑猩猩无法产生精确的话语，尤其是无法发出元音，因为它们的喉咙里没有腔室，无法进行声音共振，还因为他们的舌头不够灵活，无法自由卷起。人类的喉头往下落，喉咙内进化产生了气腔。喉是一种由肌肉和软骨组成的结构，位于喉咙较高的位置，能够防止食物进入肺部。从人类出生后，我们的喉的位置便随着人体的生长发育而降低。喉在青少年男孩的身上表现明显，形成喉结。

对此最好的猜测，是直立人的喉已经开始部分下降，这使得他们可以缓慢地说出一些模糊不清的语言。这种语言发展成完全的符号语言的过程十分缓慢，伴随喉的完全下降，也许经历了 50 万年，智人才具备了完整的语言能力。某些证据表明，语言在 7 万年前快速地转变为象征性的语言。

旧石器时代／石器时代的生活

英文“Paleolithic”（石器时代）一词分为两部分：“Paleo”在希腊语中意为“老的”，“lithic”意为“石头”。[1]有时，考古学家会使用Paleolithic来指代最早使用石制工具的时期[2]，约为260万年前。我在这里用这个术语指的却是现代人类的生活时期，从 20 万年前现代人类的出现，一直到 1 万年前农耕出现的这一段时间。

我们对于旧石器时代晚期生活的了解，源于对化石以及现代狩猎采集者（当然，这些人指的是未接触现代化生活的人类）的研究。旧石器时代晚期，不同地域人类的生活千差万别，但是也有一些普遍的特性。

旧石器时代的人类主要靠猎捕其他动物和采集水果、坚果和植物根茎为生。因为他们要一直不停地移动，以便寻找充足的食物，他们过的是一种游牧生活。有时，他们也会遇到能提供充足资源、可以定居的地方，比如北美洲的太平洋海岸区，那里有易

[1] 作者将“Paleolithic”理解为新石器时代之前、旧石器时代末期的一个时代，中文中没有这一阶段的划分，也没有对应名词。暂时翻译为“旧石器时代晚期”，下文有说明。——译者注

[2] 即旧石器时代。——译者注

于捕捞的鲑鱼，或者是澳大利亚东南部沿岸、美洲中部，或是波罗的海。

旧石器时代的人类以家族群居的方式生活，通常每个群体约有 25—50 名成员。因为他们迁徙的时候需要带上幼童和全部财产，所以有时他们会丢弃婴儿，首当其冲的便是双胞胎中的某一个，也有可能会遗弃老人，以此来保证能够应付生计。他们的平均寿命是 25—30 岁。一天之中，他们用于狩猎和采集的时间约为 4—5 个小时，如此便有了充足的时间进行社交。他们通过交换礼物的方式建立或保持互惠关系。

旧石器时代的生活是严格的自给自足式生活。不同的群体可能会时不时地与其他群体共同举办庆祝仪式或通婚，但是他们无法长期共同生活，因为食物会很快耗尽。人们需要自己进行生育、治病、惩戒和葬礼等活动。如果群体内部的冲突变得严重，那么就会有一部分人离开群体。他们可能会集体做出重大决策，并能够根据个人能力和劝导力选举领导者。他们的性别角色很灵活。

基于对现代狩猎采集者的研究，学者们认为旧石器时代晚期的人们拥有自己独特的世界观，并将其视为一种亲属关系网络。他们认为植物和动物也有意识和感觉。他们觉得自身和动植物紧密相连，同时对于他们自己的生活领地有着强烈的归属感。他们会举办大型的舞会，还会像是在与神灵世界沟通似的“灵魂出窍”。他们在洞穴岩壁上绘制华丽的动物画像。他们创造了故事来解释万物出现的过程，讲述如何保证个人和社会福祉，阐述人死后发生的事。

旧石器时代末期的人是高度社会化的生物，大部分时间他们都彼此合作。然而，在某些情况下，他们也会因为食物、性或领地的竞争而变得攻击性十足。他们会为了抵御外界其他群体进行合作。他们是合作与竞争并存的复杂群体。

在最初的 10 万年左右，旧石器时代末期的人类在非洲各地游走。后来，在最先离开非洲的那些人到达中东之后，他们开始向世界各地迁徙。8.5 万年后，他们到达了除南极洲之外的世界各地。

约 4 万—6 万年前，旧石器时代的人从中东继续向东迁徙，进入萨赫尔大陆架，即现在的澳大利亚和巴布亚新几内亚。大约与此同时，他们进入欧洲，之后到了北欧亚大陆的草原和苔原地区。约 2 万年前，他们到达了西伯利亚，此时正接近最后一次冰期的最盛时期。根据某些最近发现的却有争议性的证据，人们推测约 1.3 万年前，也有可能最早是在 3 万年前，他们从西伯利亚到达了美洲大陆。

这些迁徙表明人类的群体学习是逐渐积累的。人类提升了狩猎、制造工具、旅行、烹饪、制作衣物、建造住所和航海等方面的技艺。那时处于冰川时代，部分海水结冰，海面缩小，但是即使如此，为了到达现如今的澳大利亚，人类肯定借助船只进行了航行。

冰期情况下，旧石器时代末期人类的生活方式发生了很大的变化。冰芯和海洋沉积物表明，现代人类出现时，地球气候十分不稳定。一个漫长的冰期始于 19.5 万年前，持续了约 7 万年。12.3 万—11 万年前，地球上的温度和现在相差无几，甚至比现在还要暖和一点——这段时间是温暖的间冰期。间冰期刚开始不到 400 年，地

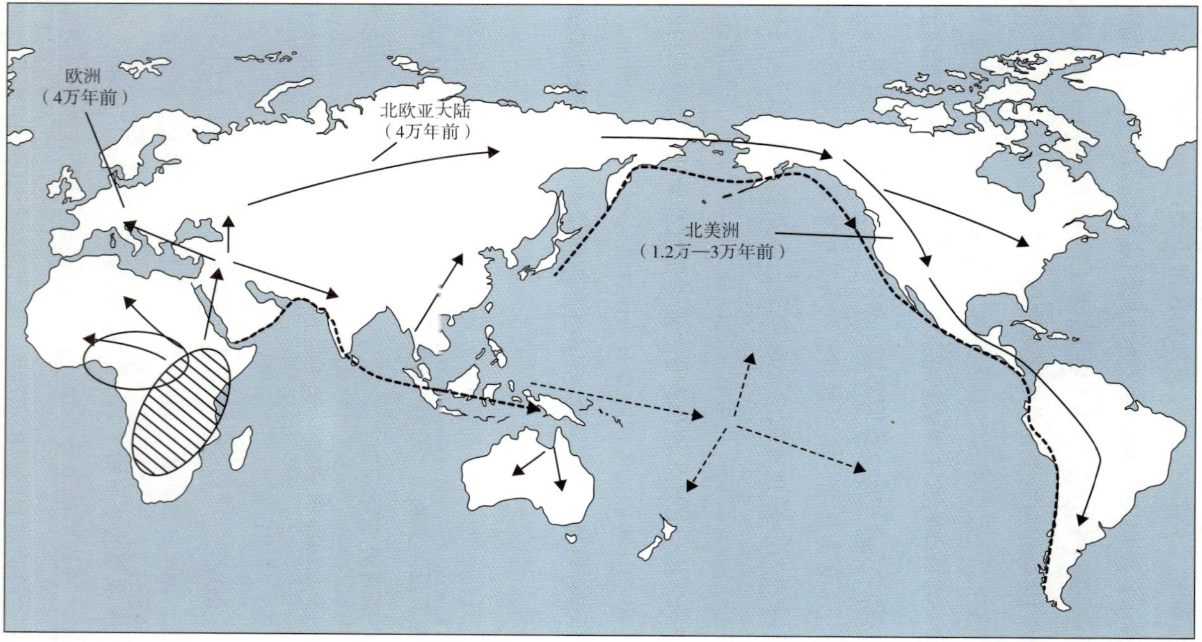

人类迁徙地图

人类喜欢四处移动。大量的智人到处活动，所以没有任何单一的群体会长期与其他群体隔离，因而不会形成另一个物种。

球上就开始了第二段冰期，一直持续到6万—5.5万年前之间的温度回升。之后便是介于温暖和凉爽之间的振荡期，此时是2.1万—1.7万年前之间，寒冷期逐渐达到极值，温度极低。

约1.4万年前，地球经历了温度的快速回暖期。几千年后，地球再次经历了一段持续约100年的冰期，约1.15万年前，这次冰期结束了。这种温度骤升开启了一段持续到现在的温暖时期，而且这代表了另一个临界点，此阶段人类驯化植物和动物、定居并开始农耕。下一章会涉及这些内容。

地球的气候受很多可变因素相互作用的影响——例如大气中二氧化碳的含量，大陆、海洋和风的变化、太阳活动、地球轨道和倾斜角的改变以及摆动。人类至今还无法完全理解这些变化的复杂性。很多人假定，气候即使变化，也是缓慢且逐渐发生的，因为这是人类过去9000年来的经验。然而，在格陵兰采集的冰芯样本表明，1.1万年前，那里的温度在10年间的变化幅度达到了15摄氏度，而且长期的数据也显示出多次迅速的温度震荡。

在开始谈农业之前，我们需要想一想旧石器时代末期的人类对地球产生了怎样的影响——那个时代占到人类这一物种在地球上度过的总时间的95%。20万年间，人口增速缓慢，到农业出现时，地球上人类的数量约在500万至1500万，比今天任何一座大城市的人口都少。没有人知道确切的数字，因为当时没有人进行人口普查。

据估计，曾经在地球生存过的人口总数约在800亿至1000亿之间。其中约有12%的人是在旧石器时代晚期的20万年间生存在地球上的，这也是估计的数字。

随着人类数量的增加，人类对他们的环境产生了显著影响。他们用火将灌木丛烧成草地，向大气中释放了很多二氧化碳。很显然，他们也使许多大型动物灭绝了。在人类到达美洲之后，体重在45公斤（100磅）以上的动物中约有75%灭绝了，而在澳大利亚，这一比例达到了86%，这些都是根据化石证据得出的结论。自然变化的因素可能在其中起到了一定的作用，但是据信，人类是最主要的作用力。由于尚不为人知的原因，除了智人之外的所有人族也灭绝了。

人类学家是如何工作的

现在仍然保持着原始生活方式的狩猎采集者是"桑人"（或称"布须曼人"），他们生活在卡拉哈里沙漠（卡拉哈迪沙漠的旧称），即现在的博茨瓦纳，以及纳米比亚和南非的一部分。（桑人是一个群体性名字，用于指代说不同语言的5个人类族群。这些语言有喀喇音，用一些标点表示，如！，／，'。）20世纪50年代时，桑人生活的地点是他们一直居住了长达3万年的地方。到20世纪90年代，桑人的许多土地变成了大牧场和野生动物保护区，他们不得不开始进行自给农业或者为他人工作。

20世纪60年代，哈佛大学的人类学家对桑人产生了兴趣。20世纪70年代早期，一位名叫梅甘·A.比赛尔（Megan A. Biesele）的年轻女性来到哈佛学习社会人类学，1975年她获得了博士学位。为了完成她的学位论文，比赛尔开始研究"Ju/'hoan人"，他们是桑人的一个分支。她对这些人十分感兴趣，因此花

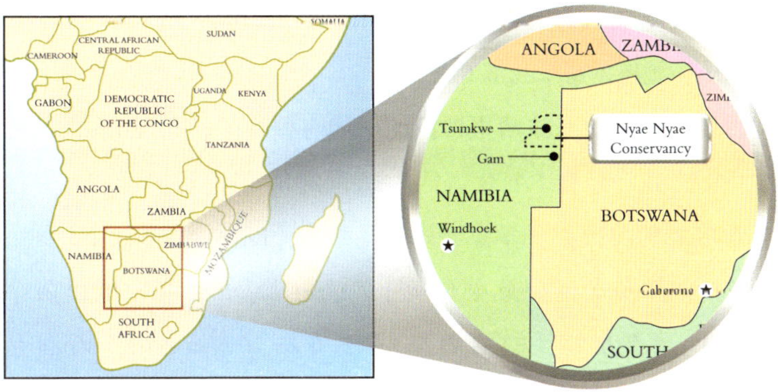

奈奈自然保护区地图

现在约有 2300 名“Ju/'hoan 人”居住在纳米比亚的奈奈自然保护区，此处与博茨瓦纳接壤。

了毕生时间来研究这些人，同时为这些人争取权利。她将严肃的学术工作和为研究对象发声结合在一起——她不仅是一位研究狩猎采集者的学者，更是一位致力于改善 Ju/'hoan 人的生活的活动家。

1973 年，比赛尔还只是一名研究生，那时她便帮助美国第一个人类学促进组织筹集资金——卡拉哈里沙漠人民基金，她现在担任该基金会的主任。1987 年到 1992 年间，纳米比亚正处于向国家独立转变的阶段，比赛尔带领着一个团体帮助 Ju/'hoan 桑人争取自身权利。2000 年，伦敦的英国皇家人类学会授予比塞尔“露西梅尔应用人类学奖章”。

同时，比赛尔还利用闲暇时间在得克萨斯大学奥斯汀分校、得克萨斯州农工大学、莱斯大学和南非开普敦大学教授人类学和艺术史。她还撰写了几部专著。

比赛尔到达卡拉哈里沙漠的时候有些晚了，Ju/'hoan 人的传统生活方式已经有了变化。早在 20 世纪 50 年代至 60 年代，一位自学成才的美国人类学家洛娜·马歇尔（Lorna Marshall，1898—2002）便曾多次来到此处研究 Ju/'hoan 人。1976 年，她出版了一本书：《奈奈地区的昆桑人》（*The !Kung of Nyae Nyae*，!Kung 是 Ju/'hoan 人的另一个名字）。后来，马歇尔的女儿伊丽莎白·马歇尔·托马斯（Elizabeth Marshall Thomas）也出版了一本书，这本也是根据 20 世纪 50 年代的访问而写成的，书名叫作《古老的生活方式：第一批人类的故事》（*The Old Way: The Story of the First People*，2006）。多亏了这些人类学家的研究，我们才有了记录桑人如何看待其自身生活的相关书籍，也能够了解这些人是如何运用卓越的智慧和技能在半荒漠环境中生存下来的。

在这 3 位女性人类学家的研究基础上，另一位美国业余人类学家——马乔里·肖斯塔克（Marjorie Shostak，1945—1996）的书成了人类学研究的支柱性作品。从 1969 年到 1971 年，肖斯塔克以一名对女性问题感兴趣的新婚妻子的身份，一直和昆桑人生活在一起。她掌握了昆桑人的语言，学会了他们的特有的喀喇音，从而获得了和当地妇女亲密谈话的机会。1981 年，她的作品出版了：《尼萨：一个昆桑人女性的生活和话语》（*Nisa: The Life and Words of a! Kung Woman*）。在这本书里，肖斯塔克没有采用尼萨的第一人称叙述，而是用自己的第三人称视角分析、介绍了昆桑人的生活方式。

尼萨的照片

尼萨天生就是善于讲故事的人，她坦诚地讲述了她作为一名昆桑人妇女的性经历和生活。

1975年到1976年间，肖斯塔克再次回到了卡拉哈里，开始观察定居后的昆桑人的生活的改变。20年后，她和她的丈夫写了一本书叫作《旧石器时代的处方》（*The Paleolithic Prescription*），他们在这本书里写道，许多现代病产生的原因是现代人类没有像旧石器时代的人一样饮食和生活。

知识前沿的疑问

- 和我们血缘最近的两个黑猩猩物种（普通黑猩猩和倭黑猩猩）能够在野外环境中生存吗？其他大型猿类都能够在野外环境中生存吗？

由于人类对猿类自然生活环境的破坏，所有的大型猿类都已成为濒危物种。人类不断地通过伐木、采矿和农耕侵入猿类的领地。城市里的人会高价购买猿类的肉，称之为“丛林野味”。艾滋病毒和埃博拉病毒等病毒性疾病也造成黑猩猩大批死亡。人类能找到办法来减轻施加在黑猩猩以及其他猿类身上的这些生存压力吗？

- 狩猎采集者的社会能够依靠其传统生活方式存续下来吗？

卡拉哈里的桑人已经习惯了农耕或是为他人做仆人的生活方式。为了让人们关注这些原住民，联合国宣布1993年至2004年为“原住民十年”。据估计，现在世界上的原住民人口约为2.5亿—3.5亿，占世界人口的4%—5%。

直到 20 世纪 60 年代，人类对大型猿类的了解还仅限于动物园之中，而对野生猿类知之甚少。1960 年，珍·古道尔前往坦桑尼亚的坦噶尼喀湖畔，与黑猩猩生活在一起，用这种方法开创性地从事对黑猩猩的观察和研究。

珍·古道尔

黑猩猩的朋友

在没有任何动物行为学学术训练的情况下，古道尔在野外对黑猩猩进行了开创性研究，她所使用的方法是一种常人难以理解的与黑猩猩交流的方式。

珍·古道尔生于 1943 年，在英国长大。4 岁的时候，她的父亲给了她一个小黑猩猩毛绒玩具，这件玩具是按照伦敦动物园里出生的一只小黑猩猩仿制的，十分逼真，栩栩如生。后来，她一直随身带着这只毛绒玩具，甚至讲学的时候也会随身携带。

珍的家庭无法供应她继续读大学，于是，她分别从事了一份秘书工作和一份服务员工作，努力挣钱来完成自己儿时的梦想——去非洲。她一位朋友的家人邀请她参观肯尼亚的农场，在著名的考古学家路易斯·利基的帮助下，她开始研究黑猩猩，尽管此前她没有接受过任何动物研究的专业训练。5 年后，她获得了剑桥大学动物行为学的博士学位。她的学位论文写的是自然状态下的黑猩猩的行为。

1986 年，古道尔出版了她科研工作的成果。她的研究向人们证明，人类不是唯一会制造工具的生物——黑猩猩能够制造和使用工具，也能教幼崽使用工具。她发现黑猩猩能够利用丰富的声音、手势和面部表情进行交流，其中包含有 34 种不同的发声。它们能够相互合作，有时又会表现出怜悯之情。在最初 10 年的研究工作中，她曾认为黑猩猩比人类更为友好。后来，她才发现黑猩猩群体中也有残酷的攻击和杀戮。最后，她总结道，在某些情况下，黑猩猩会为了食物、伴侣和领地竞争，有时又会受忌妒、恐惧和复仇等情感的影响，黑猩猩的行为与同等情况下的人类行为一样不合群。

在研究期间，古道尔见识到人类猎人为了获取黑猩猩的肉，以及通过伐木、采矿和农耕等方式破坏黑猩猩的领地而给它们带来的危险。赤道附近的非洲曾经生存着至少上百万只黑猩猩，但是据估计现在这里只有17万至25万只了。在有黑猩猩生存的国家中，有4个国家里的黑猩猩都消失了。

20世纪90年代初，古道尔建立了一个组织，让年轻人能帮助保护黑猩猩的栖息地。这个组织名为“根与芽基金会”，在全世界上百个国家里有超过10万名成员。参见www.rootsandshoots.org。

人们认为古道尔既是一位科学家，又是一位能够传递希望和热情的特使。2002年，联合国秘书长科菲·安南授予其“联合国和平大使”的荣誉称号。2015年，她仍在为她挚爱的黑猩猩到处访问讲学。

- 爱德华·O.威尔逊认为他所想到的问题是迄今为止人类所面对的最重要的伦理学问题：我们应该保持人本来的自然属性，还是对我们自身的基因加以改造（这一点，我们现在的技术已经能够做到）？威尔逊认为人类应该保持我们的基因不变，不然的话，我们有可能把自己变成哈巴狗。这个问题该怎么回答？谁来给出结论？

旧石器时代和你

- 当前人们对于旧石器时代人类的研究，经常将当时的生活描绘成比现代城市生活压力小而且更为健康的生活方式。（考虑到当时人均遭遇暴力的比例更高，这种观点正确与否，我们无从得知。）现代社会中的某些人也想通过原始人的饮食方法恢复旧石器时代人的身体状态，这种饮食主要由蔬菜、水果和高蛋白低碳水化合物类食物构成。这些人拒绝食用所有来自现代农业的产品，比如牛奶、奶酪、糖和谷物等。

对此，批评者说确有证据表明，旧石器时代的人类就开始食用谷物和豆类了，他们的饮食会根据生存环境和季节年份的不同而变化，同时，他们食用的动物蛋白也与现在生产出的人不相同。批评者指出，现代人最大的问题就是吃进去的卡路里远比消耗的多。但是，无论在何种情况下，现代人类的平均预期寿命均比旧石器时代的人类长得多。

- 自从智人出现后，人类物种就没再发生过变化，世界范围内的人类联系较为紧密，因此就没有哪一地区的人类分化形成新物种。但是，我们的基因和某些特性仍在发生变化，比如不同人类群体的皮肤颜色不一样。另一个特性是乳糖耐受性，它指的是幼儿阶段过后，到了成人阶段的人消化乳糖（牛奶中的一种糖类）的能力。如今，世界上的大部分人都有乳糖不耐症，这些人成年后就难以消化牛奶。只有那些曾饲养过奶牛和山羊的人的后代，他们的基因才发生了变化，使得他们能够消化乳糖。这种特性一定是过去的1.1万年间才发展出来的，因为那时候人们才开始饲养奶牛和山羊，并获取它们的奶。

- 人类恰好处于社会化规尺的中间。在这个尺子上，一头是最独来独往的生物鲨鱼，另一头是最社会化的生物白蚁和蚂蚁（适应群体生活）。人类比黑猩猩更社会化：人类的生活群体更大，可以形成终生的伙伴关系，能够在很大的社会活动中合作。但是人对其他人的责任心较差，许多人，其个人或在群体中都有高度的竞争性，并进行许多个体活动。人类是一个矛盾体，其行为难以理解。
- 在人的一生中，我们始终都是同一个人，但是我们体内的大部分材料却会发生变化。人体内的细胞会根据基因的指示创造新的细胞，代替旧细胞。旧细胞就会分解（如骨骼细胞）或是被送往细胞的目的地——人体的脾脏（如红细胞）。

人体细胞的替换频率有所不同。肠道内膜上的细胞每5天更换一次。肠道结构上的细胞则可以保留15年。皮肤表面的细胞约每2周更新一次，而体内的红细胞则是在人体循环系统中游动上千英里后，每4个月才更新一次。人体肝脏内的细胞需要每10到17个月更新一次，而成年人骨骼内的细胞则每10年更新一次。少数一些细胞则会伴随我们人类一生，比如，人体眼球的晶状体细胞，太脑皮层的神经元细胞，此外还可能包括心脏的肌肉细胞。研究者尚未搞清楚到底是什么使细胞最终停止更新的。请继续关注这个话题。

让我们回到一般性的问题上来：人类看起来像哪种生物？你觉得人类最显著的特点是什么？成为人类意味着什么？

继续探索

初级

Dawkins, Richard. (2011) . *The magic of reality: How we know what's really true*. New York : Free Press.

Greene, Meg. (2005) . *Jane Goodall: A biography*. Westport, CT : Greenwood Press.

中级

Goodall, Jane, with Berman, Phillip. (1999) . *Reason for hope: A spiritual journey*. New York : Warner Books.

Shostak, Marjorie. (1981 and 2006) . *Nisa: The life and words of a !Kung woman*. Cambridge, MA : Harvard University Press.

Wade, Nicolas. (1998) . *Scientist at work*. New York Times.

高级

Goodall, Jane. (1986) . *The chimpanzees of Gombe: Patterns of behavior*. Cambridge, MA : The Belknap Press of Harvard University Press.

Thomas, Elizabeth Marshall. (2006) . *The old way: The story of the first people*. New York : Farrar, Strauss, and Giroux.

电影

Foster, Craig, and Foster, Damon. (2000) . *The great dance: A hunter's story*. Amsterdam & Cape Town : Earthrise and Liquid Pictures, Off the Fence Producers.

Marshall, John.(1980). *N! ai: The story of a !Kung woman*.(Documentary). Educational Resources. www.der.org/films/index_by_title.html.

网址

www.kalaharipeoples.net 卡拉哈里人网，包括新闻、信息和艺术。

www.rootsandshoots.org 该网站可为教育者提供工具，并为开始新研究项目提供指导。

www.ted.com/talks　苏珊·萨维奇-鲁姆博夫（Susan Savage-Rumbaugh），2004。《倭黑猩猩的小天赋》（*The Gentle Genius of Bonobos*）。萨维奇-鲁姆博夫是一位灵长类动物学家，她在 TED 演讲中指出倭黑猩猩能够理解语言，并能通过观察学习任务。

9

Threshold 7: From Farms to Empires (9500 BCE – 1500 CE)

第9章

临界点 7：从农场到帝国（公元前 9500—公元 1500 年）

现代人类（智人）如何走出非洲，散布到这个星球的每个角落？农业革命出现后，人类和地球发生了什么？

（注意：从现在起，我开始使用全世界历史学家标注日期的系统来记录时间。我不再用“多少多少年以前”这种话，而是用“公元前”和“公元”来给出时间定位。公历纪元始于耶稣诞生，约为2000年前。因此，这一系统是基于基督教历法形成的。公元前9500年指的是9500＋当前年份的数字。）

农业的出现（公元前9500—前3500年）

何为农业？农业指的是人类通过定居，并控制植物、动物和地形的方法来增加自身可获得的能量的方式。或者我们可以说农业是对动植物的驯化，在经过驯化的动植物生长的地方，或是能够养育它们的地方，增加人类可获取的能量。人类一直以来就以动植物为食，但是从现在开始，人类开始控制动植物的繁殖。驯化是人类和其他物种之间一种双向的交互式作用过程，主要由人类的兴趣所决定。

第一种驯养的野生动物是灰狼，最终这种动物演化成了狗。这种进化发生于约3万年前的西伯利亚。你能想象这一过程是如何发生的吗？也许狼在露营地周围闲逛，想要得到一两块肉。也许是人类发现了母狼死后留下来的小狼崽并开始饲养它。小狼崽很容易就适应了人类生活，并开始把人类当作群体的首领。比起其他动物，狼 / 狗好像更能够读懂人类的情感和信号。一些生物学家相信人类在 10 万年前就驯化了狼。

但是并不是所有的动植物都适合驯化。实际上，大部分都不适合。目前，仅有 100 种植物被驯化，而在 148 种大型陆地哺乳动物中仅有 14 种被驯化。河马的乳汁营养丰富、味道可口，但是不知为何，无法把它们圈养起来。能够适应驯养的哺乳动物需要迅速成长、听从群体头领的指挥、性情温和、容易驾驭，同时还能够在圈养环境中交配繁殖。

考古学家曾经认为农业可能始于地球上的某一单一地区，然后再扩散到世界各地，他们将这种模式称为“传播”。现在，考古学家有证据证明，农业是在至少 3 个不同的地区独立出现的，甚至有可能是在 7 个或更多的地区同时出现的。

也许农业最早出现的地方是现在的土耳其、伊拉克、叙利亚和以色列所在的高地，有时这片地区又叫作“新月沃地”。这里的土壤十分肥沃，当时温度适宜，降雨量也十分适合植物生长。欧亚大陆的动植物种类比其他大陆更丰富。这可能是由于这里是泛大陆分裂后最为广袤的一块土地，因此这里有更多不同种类的物种。

新月沃地的高地有许多可供农民种植、收获和存储的野生植物：扁豆、豌豆、鹰嘴豆、亚麻、大麦以及两种不同的麦子。公元前 9000 年至公元前 7000 年，那里的人驯化了这些植物。山羊和绵羊也是当地的野生动物，稍晚也得到了驯化。

之后，其他地方也逐渐产生了农业：埃及的尼罗河峡谷、北印度的印度河峡谷、中国的南方和北方、中美洲、南美洲的安第斯山脉、撒哈拉以南的非洲和巴布亚新几内亚。当然，这些地方所种植的农作物和饲养的动物有所不同。中国南方主要的谷类是大米，饲养的动物主要是猪和鸡。安第斯山脉主要的农作物是马铃薯。非洲主要的谷类是小米。中美洲主要的谷类农作物是玉米，他们种植的玉米的芯最初和人类的拇指一样大小。一代又一代农民不断选择玉米芯较大的种子进行种植，最终培育出现在的玉米。

与非洲和欧亚大陆比起来，美洲种植的植物种类较少，饲养的动物种类更少。中美洲有玉米、豆类、狗和火鸡——没有马、奶牛、猪、鸡、绵羊和山羊。安第斯山脉有马铃薯、花生、藜麦（昆诺阿藜）、大羊驼、羊驼和豚鼠。这种不同使得非-欧亚大陆的人们在储存食物方面远远领先于其他地方的人类，由此为城市和国家的形成奠定了基础。

为什么农业能够在短短几千年的时间里，便在世界各地如雨后春笋般竞相出现？这种“为什么”的问题是最难回答的，而且对这个问题，学者仍然莫衷一是。也许有多重因素可以解释这种发展。

当然，气候变化在其中起到了很大的作用。最后一次冰期之后，温度迅速升高，这就使得农业发展有了可能，而且，有可能是由于大型冰期哺乳动物的灭绝，使得发展农业变得尤为必要。然而，气候并不是逐渐变暖的。约公元前 11500 年，气候明显变暖，之后到了公元前 10500—前 8500 年，温度又明显变冷，之后便稳定在一个波动不大的温暖期，这段时期延续了约 1 万年。自从上一个

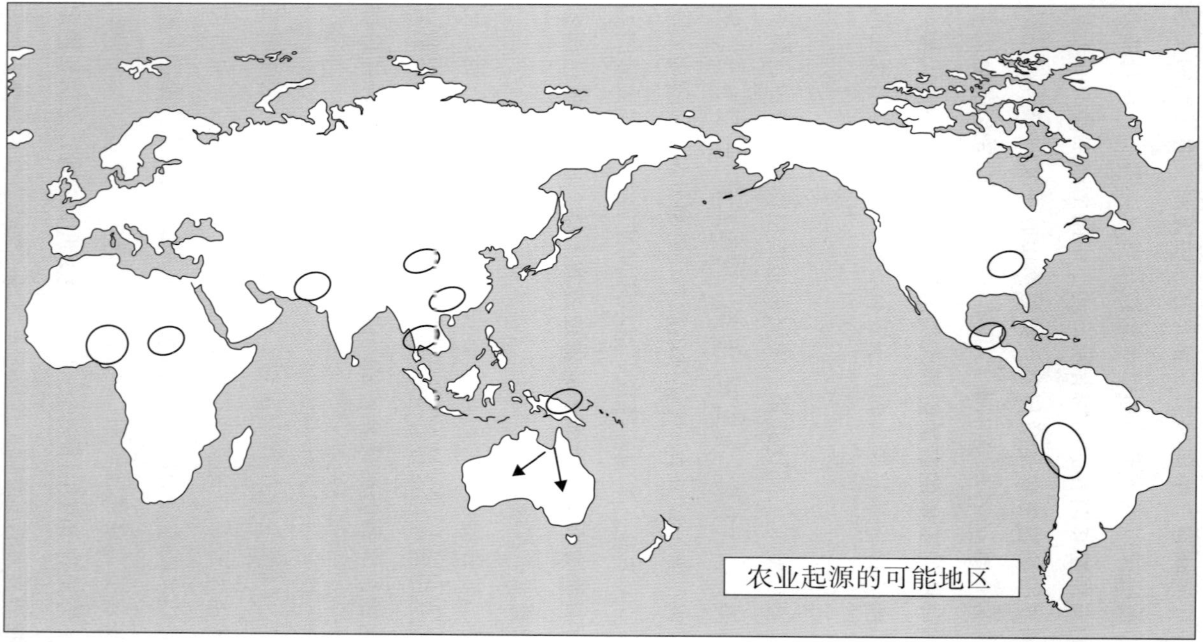

农业起源的可能地区

几乎可以说大体在同一时间，世界各地的人都独立地学会了驯化动植物。为什么会有这种情况？

持续了 1.5 万年、于 11 万年前结束的间冰期以来，这是第一个较为漫长的温暖期。

全球变暖导致海平面上升，迫使生活在海边的人退到内陆。人类的总数量缓慢增加。在野生资源较为丰富的地区，人们定居下来，不再四处游荡；当野生资源减少时，他们已经不知道该如何游荡了。他们不得不开始学习种植农作物、饲养动物。不知为何，这些因素在几千年的时间里相互交织，导致世界上几个地方都出现了农业。

在村庄定居，以种植农作物、饲养动物为生，比起狩猎和采集，这种生活方式要求人们更多地劳作。进行农耕的人所食用的食物种类减少了，营养也不如以前丰富了，而且饲养的动物还会传染给人疾病。（麻疹和天花是从奶牛身上变异产生的，流感和哮喘则是从猪和鸭子身上传染而来的。）农业村庄的生活可能不如那些狩猎采集者的生活那么愉快。

但是大部分时候，比起狩猎采集者，农民们会获得更充足食物，尽管食物种类较少。儿童断奶的时间提前了，出生率也有所提高。男性负责用犁耕地，因为这需要更大的力气。妇女则留在家中，因为多生育子女作为帮手对于农业生产来说至关重要。人们学到了新型的自律能力，比如，必须保留一部分种子用于种植，而种植也需要依据时令进行。

在对世界的看法上，人类觉得自身与自然世界间的关联开始减少。看上去，自然世界对人类的影响开始小于文化世界的影响。酋长逐渐变成了领导人，萨满也逐渐变成了祭司。人们开始根据历法而不是特定情况举办祭祀典礼。生命的神秘力量开始被人们看作神和女神，在人们的想象中，这些神灵与人类行为相似，但是却能长生不老，并居住在看不见的精神世界里。

进行农业耕种的时候，人们开始清除树木杂草、耕地播种，这些劳作改变了地球面貌。人口数量也从公元前 9000 年的 1000 万增长到公元前 3000 年的 5000 万。由于农业的出现，人类系统中流动的能量大大增加，由此引发了更大的变化。

早期城市、国家、文明和帝国（公元前 3500—前 1000 年）

由于新月沃地的人们率先开始驯化动植物，因此第一座城市——乌鲁克（Uruk）——出现在新月沃地一处叫作“美索不达米亚”的地方，这也就不足为奇了。乌鲁克是在公元前 3500 年在今伊拉克境内的幼发拉底河岸边崛起的，当时那里的人口约为 1 万，在当时来说，是单一地点人口最为密集的地区。据某些资料估计，到了公元前 3000 年，乌鲁克的人口达到了 5 万。

之后，其他较为肥沃的地区相继开始出现城市。靠近尼罗河三角洲的埃及出现了孟菲斯（Memphis），在中国北方的黄河河谷出现了安阳，印度河峡谷中出现了摩亨佐达罗（Mohenjo-Daro）。由于适合驯化的动植物较少，以及诸多其他因素，美洲、撒哈拉以南的非洲和太平洋岛屿的城市出现得较晚。

城市与村庄、城镇不同，城市人口较多——成千上万的人聚居在城市中。城墙外附近地区的农民会为城市提供食物，支持城市运转。如此，城市人口便有时间发展特殊职业，如官员、烘焙师、制陶师和银匠。城市中形成阶级，富裕的精英统治者、祭司、贵族和抄写员位于顶层（这部分人不到总人口的 10%），其他大部分人位于底层。

城市变得有组织化之后，国家很快开始出现。国家指的是一座城市加上附近的城镇和农场，或几座城市加上其附属区域构成的疆域，人口可达上百万。国家具有权力结构，可以镇压、平息内部战争，同时国家可以在必要的时候征收贡赋和税收。从某种程度上说，城市精英学会了利用其他人的力量，就像农民学会利用动植物的能量一样。

一旦国家形成，统治者可以通过征服其他国家来增加资源。帝国由此出现了——帝国指的是由一位统治者统治的多个城市和国家的大片疆域。在早期国家和帝国时期，它们之间战争频繁。

这些早期国家和帝国又称作“文明”。英语中“文明”（civilization）一词来自拉丁语的“civilis”，是“civis”的一种形式，意为“属于某个城市的”。文明有几个不同的含义，通常用于表示某些比其他群体更为优秀或高级（有文化）的群体。大历史学家会谨慎地说，文明并不是更优秀或更高级，而是更复杂，因为某个文明中的人，至少是那些处于阶级顶层的人，可以掌握更多的物质资源和能量。某些大历史学家会用“国家”和“帝国”或“复杂国家”这一类的术语来指代“文明”，由此规避后者带来的问题。

那么，我们通常所说的“文明”有哪些共性呢？人们对此作了很多探讨。通常，历史书会描述作者们所看到的文明的积极方面：人口密度、职业分工、频繁的贸易交流、纪念性建筑、会计、书写、行政管理、国家宗教、有文化成就的富裕精英以及能够制止内战的常备军。但是文明也有其消极方面：阶级不平等、强制性高额赋税、国家间战事频发、疾病频发、奴隶制和父权制（这是日益增长的阶级制度的一部分）。这些特点，既有其积极一面，也有消极一面，但凡有文明崛起的地方，便有这些特点。

早期帝国是在早期城邦国家的基础上产生的。在非-欧亚大陆，早期帝国是在肥沃的河谷中产生的，周围是无法供人定居的陆地，通常是沙漠。这种情况最初出现在美索不达米亚——你可能听说过这个帝国最著名的国王“吉尔伽美什”，他曾在公元前 2800 年至公元前 2500 年间的某段时间统治该帝国。世界上最早的以文字书写的文学作品中就记录了他的故事——《吉尔伽美什史诗》（*Epic of Gilgamesh*）。早期埃及统治者（称为法老）建造了金字塔。早期，中国北方有一位著名的统治者叫作“武丁”（死于公元前 1192 年），因其妻子“妇好”而出名，后者的陵墓于 1976 年被发现。

直到 14、15 世纪，墨西哥和安第斯山脉才出现全面文明，但是到了 16 世纪初，欧洲入侵者消灭了这些文明。美洲早期的城镇和文化至少已经存在了 4000 年，但是这种文明是否有足够的人口密度，达到全面文明的标准，还有待商榷。在一些太平洋岛屿上，社会看似也是朝着文明发展，但是岛上的自然资源却无法支撑起全面的文明。在撒哈拉以南的非洲，各种各样的因素——气候、当地的动植物、土地质量等——都不适合产生强大的帝国。

为什么在公元前 3500 年至公元前 1000 年，仅仅 2500 年的时间里，就发生了这一切呢？对于如此之多的变化来说，这个时间跨度特别短，尤其是在我们已经习惯了地质年代动辄上百万年的时间跨度的情况下。

与通常情况类似的是，这其中也有诸多因素共同发挥作用。首先，当然也可能是最重要的，就是当时的气候不是十分稳定。公元前 3000 年至公元前 2000 年，欧亚大陆的气候变得更冷更干旱，高地地区无法再为当地人口生产出足够的粮食。因此，许多人迁徙到水资源丰富的河谷地区，最早的城市便产生了。

人们的创新能力也有所提高。随着人口增加，有好点子的人更多了，比如如何进行大面积灌溉、如何制陶或炼铁等。这些创新方法广为交流传播，提高了生产力（以较少的能量生产出较多的食物）。因此，能养活更多的人。人口数量从公元前 3000 年的 5000 万上升到公元前 1000 年的 1.2 亿。

上一段描述的是一个正反馈循环。这个循环是这样的：第一个变化带来另一个变化，然后带来第三个变化，第三个变化又放大了第一个变化的效用。

但是还存在一个问题：为什么 90% 的人会允许一批人数极少的精英来统领他们？况且这些领导者经常像对待家畜一样对待这些人民。这个问题至今仍存在，你觉得答案是什么？

全世界的历史学家通常只会强调两个答案中的某一个。或者是人们达成了一致意见——人们需要强有力的领导者来组织和保护他们，要么就是胁迫——统治者通过武力控制资源，然后强制推行他们的意愿。大历史学家通常会说，一致意见和胁迫两者都发挥了作用。由于人口逐渐密集，人们需要领导者来制止争斗，并用警察和军队来保护他们。人们也需要领导者组织大规模灌溉、制定行为规则、分配盈余，并组织宗教仪式。最终，有领导力的领导者或统治者学会了利用他们掌控的资源来达到个人目的——扩

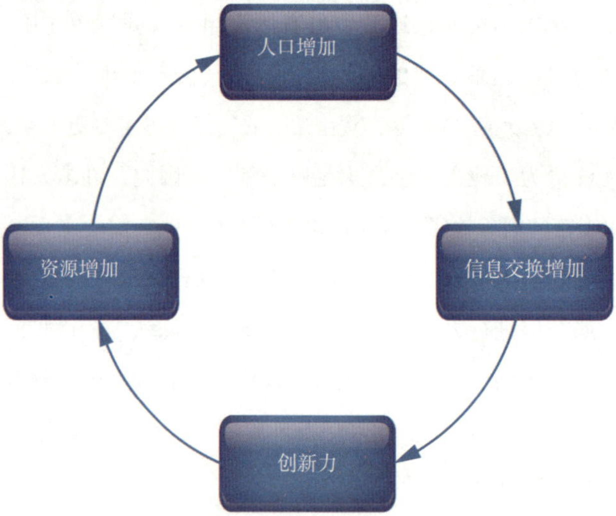

正反馈循环
从人类角度来看，这是一个正反馈循环。被驯化的动植物对此会有何看法呢？

张个人权力和财富，增强其征收贡赋和税收的能力。一致意见和胁迫，在古代，乃至今天，似乎都是社会这出大剧所共有的特点。

扩张的帝国（公元前1000—公元1500年）

早期国家和帝国建立之后，它们便开始经历长期的崛起和衰落、扩张和收缩的过程。然而，整体来说，在接下来的2500年里，地球上受帝国控制的土地面积是稳步增加的。

文明的进步可以通过人口数量的增加反映出来。在这段时间最初的1000年里，全球人口增加了2倍之多，从最初的1.2亿增加到 2.5 亿，其中有一半人口居住在周围是农场的文明之地。在接下来的 1000 年（公元 1—公元 1000 年）里，由于疾病的大面积蔓延，全球人口没有持续增长。到了公元 1500 年，全球人口再次增长，数量达到了 4 亿。

到公元前 1000 年时，欧亚大陆和北非的文明就不再完全隔绝了。各个地方都存在着某些关联。然而，南北美洲和太平洋岛屿仍然与非-欧亚大陆没有联系。公元 1000 年前后，北欧的维京人曾想到北美附近的纽芬兰定居，但他们却失败了。除了那一次尝试之外，美洲人基本上独立地生活。这里的文明尽管与非-欧亚大陆没有任何联系，却和非-欧亚大陆的文明有着诸多共同特征，这一事实正是我们所讲述的故事里让人觉得惊异的地方。很显然，世界各地的人都以相似的方式解决相似的问题。

公元前 1000 年至公元 1500 年，非-欧亚大陆的帝国不断扩张发展，然后逐渐走向衰落。对于不断扩张的帝国，历史学家可以描述出普遍的趋势。在美洲，这些趋势发展得更缓慢一些，这是因为受到了不利于其发展的环境和地理因素的制约。

帝国的共同趋势之一是扩张倾向，不断增加其国土面积和权力。帝王们热衷于通过占领相邻的国土来获取新的资源。此类例子包括美索不达米亚的亚述帝国（公元前 2500—前 612 年），波斯（伊朗）的阿契美尼德帝国（公元前 550—前 330 年），印度的孔雀帝国（约公元前 322—约前 185 年），罗马帝国（公元前 27—公元 476 年），中国的不断更迭的朝代（参照下一节）。中亚的蒙古帝国（1206—1368），墨西哥的阿兹特克帝国（1428—1521），秘鲁的印加帝国（1438—1533）。

贾雷德·戴蒙德

地理决定论

戴蒙德原本是一位生理学家，后来成了生物地理学家，他认为地理因素是欧洲人在19世纪征服世界的决定性因素。

农业是如何改变人类和已然发生改变的地球的？农业发展较晚的地方发生了什么？

贾雷德·戴蒙德（Jared Diamond）是加州大学洛杉矶分校（UCLA）的教授，他在《枪炮、病菌与钢铁：人类社会的命运》（*Guns, Germs, and Steel: The Fate of Human Societies*）一书中提出了以上这些问题。这本书是一本国际畅销书，在世界范围内被翻译成33种语言。这本书回答了一个许多人都在问的问题：为什么现代社会的欧洲人能够征服北美、澳大利亚和撒哈拉以南非洲的人，而不是反过来？哪怕是在今天，为什么欧洲和美国人比世界其他地方的人生活水平更高？

戴蒙德认为，问题的答案并不是因为欧洲人具有生物或文化优势，而是因为农业起源时期欧亚大陆的地理特征。欧亚大陆适合驯化的动植物种类更多。因此，在人口增长和创新方面，欧亚大陆从一开始就获得了其他大陆不可比拟的优势。因此，欧洲人就拥有了能打败美洲、澳大利亚和撒哈拉以南非洲的人的枪炮、病菌和钢铁。

戴蒙德在专职写作面向公众的图书之前，在加州大学洛杉矶分校医学院研究胆囊膜。1987年，他的双胞胎儿子马克斯和约书亚的出生改变了戴蒙德的生活。他担心，如果儿子们的生存环境不好，买人寿保险或者写遗嘱似乎也毫无用处。在接下来的15年里，戴蒙德写了6本书，辞去了医学院的研究员工作，转而在加州大学洛杉矶分校研究生院里教授地理。

一个人怎么能如此灵活地在跨学科领域内转

换？戴蒙德生于马萨诸塞州的波士顿，他也是在这里长大的。他的父母都是来自东欧的犹太人。他的母亲——弗洛拉·卡普兰是一位语言学家、教师和钢琴家。他的父亲——路易斯·K. 戴蒙德是一位从事儿童血液疾病研究的儿科医生。贾雷德还有一个妹妹——苏珊，他总是要跟他妹妹解释很多事情。

贾雷德 4 到 7 岁的时候，正值美国参加第二次世界大战。他的父亲在贾雷德房间的墙上挂上欧洲和非洲地图，每天晚上他们都用图钉在地图上标出盟军推进的位置。地理和历史在他面前活灵活现地展示了出来。

贾雷德在罗克斯伯里拉丁语学校读完了中学，这是一所建于 1645 年的私立男校。他在这里学了 6 年拉丁语，并获得了哈佛大学的古典学奖学金。他想像父亲一样成为医生，但是他选修的却是科学类以外的课程，因为他觉得，他自己一生都将从事科学工作。他的老师注意到了他对历史和写作的热爱，给了他很多鼓励。

戴蒙德抓住了最后时机，选择在剑桥大学攻读生理学（研究生物系统的正常机能的学科）博士学位，而没有选择继续攻读医学博士学位。他先是回到哈佛大学任教 4 年，到了 1966 年，他又前往加州大学洛杉矶分校任教。搬到洛杉矶之前，他先是在夏天时到新几内亚旅游了一圈，那里的鸟类让他对进化生物学产生了浓厚的兴趣。最终，60 岁那年，他学会一种新几内亚语，这种语言也成了他所掌握的 12 种语言中的一种。

戴蒙德说，因为关心自己儿子的未来，他

才离开实验室，转而开始面向大众写作。2005年，他在一堂给高中生的课上说道："因此解决方法——如果有什么解决方法的话——一定包括第一世界降低消耗率这一条。"

帝国的另一个共同趋势是贸易和交流网络的扩张。人们赶着马匹、骆驼和驴子在陆地上运输货物。这些道路穿过欧亚大陆，从中国一路延伸到欧洲。中国的丝织物沿着这条路运送到了罗马的富裕人家，这条路便是历史上著名的丝绸之路。航海业的进步也使得海上航运成为可能。公元前600年，安纳托利亚（土耳其）和中国北方几乎同时出现了盖印货币，盖印货币迅速传播开来，使贸易变得更加便利。

在美洲进行贸易也非常困难。陆地上缺乏大型的驮兽来运货，所以，羽毛在这里能成珍贵的贸易交换物也就不足为奇了。由于南北方的纬度跨度大，气候差异大，农作物和家畜也难以南北互换，这一点与欧亚大陆的东西方向恰好形成对比。不过，烟草和玉米仍然从南美洲和中美洲传播到了北美洲。洋流和地理特征使航海变得十分危险，但是一些独木舟还是到达了加勒比海岸、墨西哥湾以及南美洲的太平洋沿岸。

扩张帝国的第三个共同特征是社会和性别关系中日益森严的阶级体系。这时的国家比早期国家的分层现象更为明显，国家精英们受到官僚体制、军队和祭司的支持。精英阶层使用成文法律和武力来强制维护差别，因此财富、出身、职业和性别差异越来越明显，也越来越固化。在所有的文明中，都是只有男性才能掌握公共领域的权力。他们限制女性的权力和角色，只是偶有例外，会出现一两个女性精英。这一进程称为“父权制”，起源于农业时代，因为从这一时代开始，女性需要抚养孩子，只能囿于家中。随着小的精英群体开始掌握强大的国家结构，等级制度愈加森严。

另一个重要的共同趋势是普遍的道德宗教发展。在公元前 800 年到公元前 200 年这段相当短的时间内，欧亚大陆陆续出现了一些创立重要宗教或哲学派别的人：琐罗亚斯德（或查拉图斯特拉）、希伯来先知、佛陀、孔子，以及古希腊的多位哲学家。

1949 年，德国哲学家卡尔·雅思贝斯（Karl Jaspers，1883—1969）注意到该时间段内的这种变化。他将这种情形称为“轴心时代”，认为这是人类历史上的主要轴心或转折点。学者们对轴心时代的特点的描述各不相同，但一般来说，他们认为轴心时代指的是宗教和思想的传播更为便捷（不再局限于一地），且为信奉者认作普世思想的时代。除此之外，轴心时代出现了很多复杂的行为准则来指导人们的行为，而在同一时期，基于观察和数学计算的科学思维也开始出现。

大部分大历史学家都认为，轴心时代是在欧亚大陆的支撑条件下（尤其是城市化）才产生的。这些条件包括日益增长的交换网络，其中就包括观点的交换。人们的读写能力也广泛传播。城市生活艰难，人们需要归属于某个群体，也需要道德规范来帮助指导他们为人处世，尤其是在人们每天都会遇到许多陌生人的情况下。帝国出现分裂的时候，通常新观念便会纷纷产生。

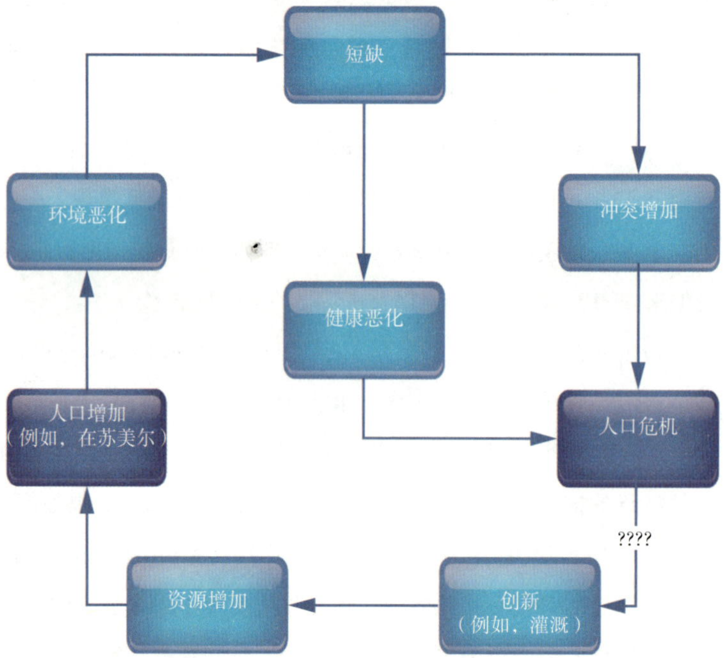

负反馈循环

从人类角度来看，这种反馈循环会导致人口衰减，因而是负面的。

目前为止，我们所提到的趋势都与扩张或崛起的帝国有关。但是，历史上也有许多衰败、倒退的帝国。其实，帝国的共同趋势是它们都遵循崛起和没落的循环。在帝国的生命周期内，通常都是在起初的正反馈循环后紧接着一个负反馈循环。负反馈循环是这样的：人口增长导致环境恶化，进而导致食物短缺，由此会引发矛盾冲突增加、疾病频发，最终又会导致人口衰减，并最终导致帝国没落乃至瓦解。有时，一项重大创新，比如灌溉的改进，就可以促进人口重新增长，于是，正循环会重新开始。

一位名叫托马斯·马尔萨斯（Thomas Malthus，1766—1834）的英国牧师和经济学家注意到帝国历史更迭的模式。他根据这一模式总结认为，人口增长总是快于粮食供应，最终人口数量会由于粮食短缺而减少。他所观察到的这种人口的增长和衰减循环，以他的名字命名为“马尔萨斯周期”。

到了公元 1500 年，国家和帝国控制了世界上一大半的陆地，而在公元 1000 年时只覆盖了 6% 到 13%。但是世界上仍有许多人依靠采集和狩猎为生，或是有许多与文明毫无关联的农民，还有的人是依靠饲养动物为生的游牧人。文明社会的故事可能占据了文字记录的历史的大部分内容，但是我们不要忘了，还有一些人继续以其他方式生活着。

中国文明概览

自农业出现到公元 1500 年，有一个文明的发展历程可以作为其他文明的代表。这种例子不胜枚举，在这本书里我们无法一一赘述。我们只是举一个例子，快速地看一下中国文明是如何出现、扩大和收缩的。

中国有两条大河，均发源于青藏高原山脉之中。一条河流向东流入渤海，叫黄河；另一条是长江，向东流入东海。

长江流域的气候比北方地区更为温暖，公元前7500年，这里的人们就开始培育稻米，到了公元前5500年，稻米已经完全被驯化成农作物。比起北方地区，我们对这片区域知之甚少，这是因为考古学家在南方发掘到的考古遗迹较少。

黄河流域的人自公元前7000年就开始种植粟米，到了公元前5000年，他们已经开始种植油菜籽、大豆，饲养猪，同时还种植大麻来制作衣物。村庄出现了，随着气候逐渐变得凉爽干燥，越来越多的人聚居在黄河两岸。公元前2000年，该地区的人开始种植小麦和大麦（可能从美索不达米亚传入），他们骑马、驾驶战车，能够制造金属工具和陶器，还能养蚕获取蚕丝用于制作丝绸。商人们从中亚带回了锡、子安贝壳和珠宝。

到了公元前1600年，在中国北部和西部大部分地区都出现了王国。大约公元前1600年，中国第一个大型国家——商朝出现了，它统治着黄河流域两岸的大片地区。公元前1046年，周朝建立，其统治区域向西、南扩张，其中向南扩张到长江流域，成为面积广大的帝国。文明的特征出现了——世袭王权、常备军、奴隶、父权制和书写。（中国人书写的是方块字而不是字母，当时汉字通常写于丝绸或竹片上，这类材料不易保存。）

到了公元前480年，周王室无法维持国家统一，中国经历了一段战国时期，后来秦朝建立，其后是汉朝。自公元前202年至公元 220 年，汉朝统一全国。秦汉时期建立了中央官僚体制，还修建了通往全国的道路，统一了度量衡、货币和文字，后来汉朝将儒家思想作为选拔官员的核心内容。孔子（公元前 551—前 479 年）认为注重家庭关系的道德教育，是产生德行高尚的领导者和好政府的关键。

公元 220 年，汉朝没落，中国经历了 350 多年的人口衰退期，这主要是由于丝绸贸易带来的天花、麻疹和瘟疫所致。草原游牧民族在北方地区横行。中国的人口从公元 200 年的 6000 万减少到公元 600 年的 4500 万。

公元 618 年，唐朝建立后终于重建了秩序，统一了天下。在接下来的 300 年里，中国成为世界上最强盛的帝国，当时世界上最大的城市——长安的人口达到了 200 万。丝绸之路上的贸易活动再次兴盛起来，中国的统治者对许多不同的宗教也采取了宽容的态度。

唐朝灭亡后，不到 60 年的时间便建立了宋朝，中国再次经历了长达 300 年的繁荣期。在这段时间（960—1279）里，中国的商业活动十分活跃，国外贸易大大增加，人口也从 4800 万增加到 1.24 亿。

另一个马尔萨斯下降周期发生在 14 世纪，当时欧亚大陆的温度降低，农作物减产，发生了饥荒，很多人死于瘟疫，如黑死病（类似腺鼠疫）等。然而同时期的中国却继续变得更加城市化，1400 年，中国有 9 座世界级大城市，而且南京可能是当时世界上最大的城市。当时中国的人口下降到 7000 万，约占世界人口的 1/5。

中国历史清楚地表明了马尔萨斯周期的模式。气候变化通常

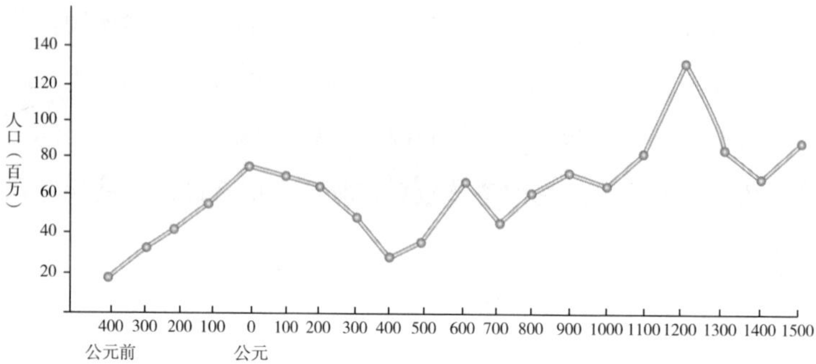

公元前 400—公元 1500 年的中国人口
该图显示了中国历史上的马尔萨斯时期，食物匮乏和疾病导致人口减少。

会带来马尔萨斯周期的变化，进而导致饥荒和疾病。但是每次在经历过低迷期之后，人类社会都会再次繁荣起来，人口和能量流动重新增加。

知识前沿的疑问

- 生物地理学家贾雷德·戴蒙德提出了一个有趣的问题：发展农业是人类做出的最错误的决定吗？

下面是戴蒙德观点的总结，你可以在网上查阅戴蒙德的文章，阅读并针对他的说法做出自己的判断。

戴蒙德认为，整体上说，人类生活并没有因为农业的出现而变得更好，实际上只有精英阶层的人生活得更好。其余人的生活实则变得比以前更差：营养不良，工作繁重，动物疾病传染给人类，社会上还存在专制独裁，此外还有严重的社会问题和性别不平等问题。随着采集和狩猎变得愈发困难，人们被迫在限制人口数量和提高食物产量上做出选择。大部分族群选择了后者。农民将那些选择继续以采集和狩猎为生的人驱赶到贫瘠地区，仅有少部分人活了下来。如今，农业革命已经成了一种全球性的现象。戴蒙德问道：受饥荒侵扰的农民的困境会不会逐渐扩大，直到我们所有人都陷于其中？农业是人类做出的最错误的决定吗？

文明和你

城市扩张（城市化）起源于 5000 年前，至今仍在继续。1910 年，世界上仅有 10% 的人居住在城市里。到了 2014 年，世界上已有一半多的人居住在城市里了。如今，城市的定义是指有 30 万甚至更多居民的地区。现在，全世界有 36 座大都市里有超过 1000 万甚至更多的居民。城市化的日益加速仍然是现代世界的一大特点。

一直以来，城市都在吸引着人们。这种吸引力是什么？早期的城市并不是健康的地方，城市人口不断更新轮替。然而人们仍被城市吸引过去，或者说是被迫放弃农业，进城谋生。今天，城市能给人们提供工作、更好的医疗服务和教育、更多的择偶机会，以及包括高质量的体育赛事、观影、音乐和艺术在内的便利。城市还提供了人口多元且密度较大带来的好处——街道两侧的餐馆可以提供来自世界各地的食物。城市的每一个领域都充满能量和创新。

你会选择生活在哪里？大都市、大城市、小城镇还是农村？你这样选择的原因是什么？无论原因是什么，你的选择都是人类结合自身需要而做出决定的漫长的选择故事中的一部分——从早期农业发展到早期城邦国家，再到建立在大型首都城市基础上的帝国，直到现代的民族国家。

让我们回到本章提出的问题：农业出现后，人类和地球发生了哪些事？

继续探索

初级

www.bighistoryproject.com

The Birth of Civilization.（CD）. National Geographic. Nationalgeographic.com/channel

中级

Diamond, Jared.（1999）. *Guns, Germs and Steel: The Fates of Buman Societies.* New York：Norton.

高级

Christian, David.（2011）. *Maps of Time: An Introduction to Big History.* Berkeley and Los Angeles：University of California Press（1st Ed. 2004）. [Chaps.8-10].

网址

http: //www.jareddiamond.org/Jared_Diamond/About_Me.html　贾雷德·戴蒙德解释了他为何有如此广泛的兴趣。莱切斯、汤姆（Laichas, Tom）《与贾雷德·戴蒙德对话》（*A Conversation with Jared Diamond*），2005 年 5 月

http: //www.worldhistoryconnected.press.illinois.edu/2.2/laichas.html　这场谈话是在加利福尼亚圣莫尼卡十字路口学校进行的，其中还有与一位历史学家的访谈，还有与学校预修课程历史班进行的问答会。

http: //www.ditext.com/diamond/mistake.html　这个网站有贾雷德·戴蒙德的文章《人类历史上最严重的错误》（*The Worst Mistake in the History of the Human Race*）。

www.ted.com/talks　马特·里德利（Matt Ridley），2010，《当思想做爱》（*When ideas have sex*）。在这场 TED 演讲里，本书作者马特·里德利提出“驱动人类历史的是思想与思想相遇产生更多思想的过程”。

10

Threshold 8: Globalization (1500 – 2000 CE)

第10章

临界点8：全球化（1500—2000）

在你所生活的国家里，你会发现生活里到处都是各式各样的机器——计算机、手机、汽车、冰箱、空调、洗碗机、飞机和锅炉。国家和机器都是新兴产物，它们是从哪儿来的？哪种能源对它们的产生起到了助推作用？

全球化，指的是全球性的网络的扩大，直到涵盖整个世界。全球化的正式起源，是水手通过航海将地球的东西半球连接到一起。（也有些人认为全球化起源于旧石器时代。）19 世纪至 20 世纪，工业化正在进行中，工业化依靠的是燃烧化石燃料：先是煤炭，然后有了石油和天然气。燃烧这些燃料为人类提供了额外的能量——这些能量是存储起来的上百万年前的太阳的能量。这一燃料来源促进了人类的全面新发展。

来自化石燃料的额外能量改变了人类社会和地球的面貌，其程度之深足以构成我们人类故事的第 8 个临界点的内容。有了化石燃料提供的额外能量，地球上的复杂性再次增加了。

世界系统（全球化的第一步）

全球化的第一步突破发生在 1492 年，当时克里斯托弗·哥伦布（Christopher Columbus）和他的船员奉西班牙国王和王后之命航行穿过大西洋，在加勒比海的岛屿上登陆。这次航行将欧洲和美洲连接了起来。后来，哥伦布又带着定居者和家畜航行了 3 次，通过这些远航，西班牙在美洲建立了他们的殖民帝国。哥伦布至死都相信自己到达的是亚洲海岸附近的岛屿，这是他远航的目标。他无从得知欧洲和亚洲之间还有一块大陆，当他碰巧找到这块土地的时候，他尚不清楚这是哪里。

西班牙水手和殖民者蜂拥而至，而且很多人并没有得到新国王卡洛斯一世的授权。1521 年，埃尔南·科尔特斯（Hernando Cortez）带领西班牙军队打败了阿兹特克帝国。1519 年到 1522 年之间，费迪南·麦哲伦的船队完成了环球航行。不过他在菲律宾被杀，船队中的 5 艘船中仅有 1 艘回到了西班牙。1533 年，弗朗西斯科·皮萨罗（Francisco Pizarro）和他的士兵打败了印加统治者，3 年之内就控制了原印加帝国的统治区域。

将整个地球联系起来的最后一个链条，发生在西班牙打败菲律宾人（菲律宾人是西班牙人起的名字，是为了纪念其国王菲利普二世）的时候。当时菲律宾诸岛上没有统一的中央政府，只是一些地方酋邦。1571 年，西班牙建立了一座港口城市——马尼拉。在其后 250 年的时间里，马尼拉一直是亚洲货物（丝绸、瓷器、茶）的转运中心，这些货物经由这里运往美洲和欧洲，换取白银。一种叫作“马尼拉大帆船”的新型西班牙船只，在马尼拉和墨西哥西海岸的阿卡普尔科之间运输货物。

白银贸易的情况如下。至少从 11 世纪开始，中国人便在银本位的基础上开始使用纸质货币系统了。15 世纪时发生的金融危机导致纸币过度发行，纸币变得一文不值。私营商人和居民开始使用白银。日本发现了储量巨大的白银，同样情况也发生在今玻利维亚和墨西哥等地。大帆船每年一次在阿卡普尔科装载数以吨计的白银，它们航行到马尼拉，中国商人会在那里售卖丝绸服饰、棉布、黄金首饰、

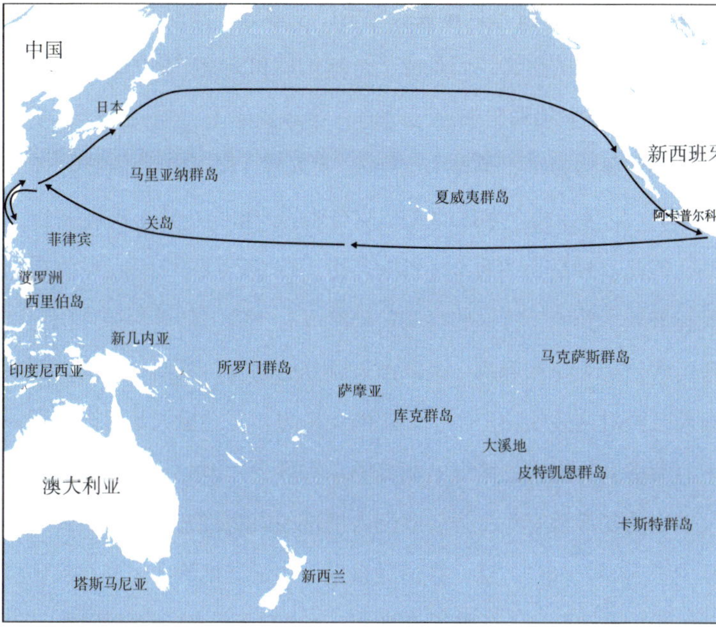

太平洋贸易路线地图

通过马尼拉大帆船，白银可以通过船运的方式直接运往亚洲，不再需要穿过大西洋和欧亚大陆了。

瓷器和香料来换取白银。满载货物的大帆船返回到阿卡普尔科，那里的商人们将这些货物分装在小船上，运往墨西哥的东海岸，再将货物运往欧洲销售。此外，中国货物还卖给住在墨西哥和秘鲁的各个阶层的西班牙人，以及整个美洲的原住民。大部分白银都到了西班牙国王的手里，这些钱被用来资助好战的天主教圣战士兵，用来对抗新教教徒和信奉伊斯兰教的奥斯曼帝国。

16 世纪，欧洲的金银供应量增加，但是大部分的白银都通过连通印度，尤其是中国终端市场的不计其数的贸易网络继续流往东方。到 1580 年时，全球贸易网络已经形成。欧洲人不再处于非-欧亚大陆网络的边缘，而是成了全球贸易和交流网络的中心。

非-欧亚大陆和美洲连通之时，全球发生了巨大变化。史学家将这种现象称为“哥伦布大交换”（大西洋）和“麦哲伦交换”（太平洋）。生活在两个半球的人交换当地的动植物，甚至疾病。

但是这种交换在两个半球却产生了截然不同的效果。欧洲人把疾病带到了美洲，将这些疾病传染给没有免疫力的美洲原住民。这些疾病包括天花和麻疹，是欧洲人驯养的动物传染给他们的，而欧洲人已经对这些疾病产生了一定的免疫力。在这里大家可以回顾一下前面提到的内容：美洲人驯养的动物很少，因此，当地人对欧洲人带来的疾病没有免疫力。欧洲人把这些疾病带来后，美洲的人口减少了 50%—70%，这一数值是根据一些证据推测出来的。疾病引起的死亡帮助欧洲人征服了美洲人，还占有了后者的自然资源。

另一方面，在非-欧亚大陆上，来自美洲的新的食物品种（马铃薯、甜马铃薯、玉米、木薯和花生）为当时人们已有的食物供应增加了更多的卡路里。因此，非-欧亚大陆的人口数量急剧增长。例如，16 世纪，中国的人口增长了 30%，从 8400 万增加到 1.1 亿，而且在 17 世纪，由于中国成了当时世界上最大的经济体，人口数量又几乎翻了一番。

工业革命（全球化的第二步）

工业革命是相互竞争的欧洲小国强力推动的，而不是成熟的亚洲文明和帝国推动的，这就意味着依靠化石燃料能量推动的制

葡萄牙商船的到达

图为一对 6 面南蛮屏风的一部分，创作于 1620—1640 年间，现藏于旧金山亚洲艺术博物馆。1548 年，耶稣会会士弗朗西斯·哈维（Francis Xavier）从印度果阿出发将基督教引入日本。他之后大量葡萄牙耶稣会传教士和商人前往日本，带去了锡、铅、金制品、丝绸、羊毛和棉纺织品等物品，而日本则出口刀剑、漆器、丝绸和银制品。

哥伦布大交换

从美洲到非–欧亚大陆：

鳄梨	花生	
豆类	辣椒	烟草
可可	菠萝	西红柿
木薯	马铃薯	香草
辣椒	笋瓜	火鸡
玉米	番薯	

从非洲到美洲：

非洲稻	秋葵	山药
羽衣甘蓝	棕榈油	

从欧亚大陆到美洲：

杏仁	柠檬	奶牛
香蕉	橘子	鸡
蚕豆	桃子	马
樱桃	梨子	猪
椰子	李子	绵羊
咖啡	大米	
蒲公英	糖	
葡萄	小麦	

来源：罗斯·E. 邓恩，劳拉·J. 米切尔（2015）。《全景图：世界历史》（*Panorama: A World History*）。纽约：麦格劳–希尔出版社，516

造业、通信和交通方面的变革取代了人力和畜力。

先前我们就已经提到，到1580年时，欧洲人就已经在全球贸易网络中扮演了重要角色。糖、咖啡、茶和烟草这类所谓的“软毒品”的大众市场发展起来了。1750年，除了澳大利亚之外的世界各个地域都成了全球商业关系网络中的一部分。

然后又发生了什么？人类使用了大量的木材建造房屋和船只，并用于烹饪和取暖。某个小岛屿上——大不列颠岛——的人们把木材用光了，于是他们开始燃烧煤炭进行取暖和烹饪。这一做法也改变了全世界。

煤炭是一种化石燃料，是由数百万年前埋在地下的变成化石的树木枝干形成的。当时，树木的枝干还是一种新生事物，细菌还没有进化到能分解它们的程度。这些树干被埋在土壤和岩石之下，压力将这些树干变成了煤炭。

大不列颠岛煤炭储量丰富，这些煤炭都是在泛大陆时期，大不列颠岛和北美洲大陆尚连在一起的时候形成的。因为大不列颠岛的地下水位较高，当矿工们采煤时，地下水很容易进入矿井。他们需要发明一种泵，将水从地下抽出来。托马斯·纽科门（Thomas Newcomen）发明了一台靠燃烧煤炭产生蒸汽来驱动的抽水泵。18世纪70年代，苏格兰人詹姆斯·瓦特（James Watt，1736—1819）改良了这种蒸汽机，从此，全世界大踏步迈入了工业时代。机器通过使用存储了上百万年的太阳能，将陆续取代人力和畜力。

发明家找到了将蒸汽机和织布机连接起来的方法。到了19世纪中期，印度在棉纺织品制造业上再也无法与英国匹敌。随着工业革命的进行，蒸汽机已经开始应用到轮船和火车上。农业增产，

北河号蒸汽船

瓦特在 1765 年发明了双缸蒸汽机，又于 1768 年同英国伯明翰轮机厂的老板马修·博尔顿（Matthew Boulton）合作，研制出专门用于船舶推进的蒸汽机，这就是世界上早期蒸汽机船上普遍使用的博尔顿-瓦特发动机。船舶用蒸汽机作动力，使人类有可能建造越来越大的船，运载更多的货物。

使得越来越多的人从土地中解放出来，迁往城市，并在工厂中工作。美洲殖民地为英国提供了原材料和市场。银行和金融系统逐渐形成，用于处理世界范围内增加的商业活动。

英国最初想对其工业革命所发明创造的产品进行保密，但是有人走私了机器及其设计。位于欧洲北部的另外一些国家——比利时、瑞士、德国也开始发展工业；而煤炭储量较低的法国，工业革命进展较为缓慢。美国独立后不久，私营企业主开始在罗得岛和马萨诸塞州建立纺织厂。到了 19 世纪末期，俄国和日本也开始了各自的工业化进程。

到了 20 世纪，那些在 19 世纪就开始进行工业革命的国家变成了强盛之国。欧洲国家在世界各地寻找自然资源的同时，也在各个地方建立了殖民地。英国建立了世界历史上最大的土地不相连

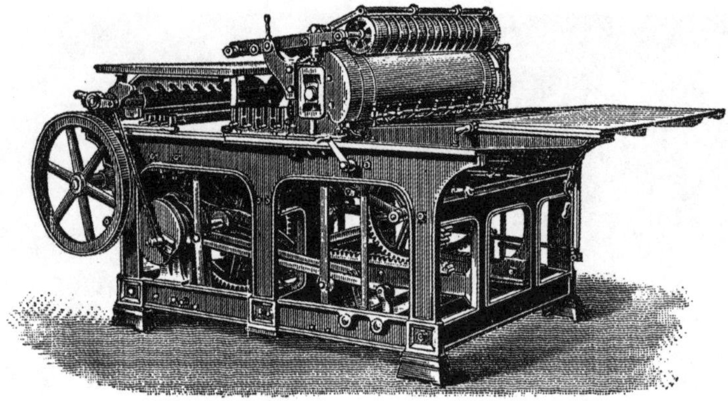

印刷机
从 1517 年开始，马丁·路德的《九十五条论纲》开始大规模印刷，引发了脱离天主教义的新教运动。

的帝国。到了 1914 年，欧洲人占领或控制了地球表面陆地面积的 84%。最富强的国家和最贫困的国家之间的贫富差距，相比之前扩大了 10 倍之多。

这一切进程背后，一个关键发明是活字印刷机。这种机器最早是中国发明的，但是用于大规模的生产，是 1480 年之后在欧洲发生的。这一发明极大地提高了学习和知识交流的速度。到 1500 年时，有 236 个欧洲城镇有了印刷机。欧洲成了知识储存库。欧洲的商人和旅行者从世界各地带回了各种信息。

群体学习的增长是一个正反馈循环的一部分，它引发了科学知识的革命。学者们关注的对象从古代文本转向了可观察的现实世界。人类改变了他们对地球和宇宙的认知。17 世纪 50 年代年到 18 世纪 80 年代这段时期，欧洲开始关注和强调理性与个人主义，历史上称这段时期为“启蒙时代”。这段时期的主要发现包括：地球绕太阳公转的证据，牛顿的万有引力和运动定律，这些都能详细解释地球和宇宙中物体的运动。

现代民族国家

工业化改变了万事万物，也改变了国家的组织形式。旧的文明模式，是只有一位统治者统治国家，但是现在，民族国家出现了。有权利的公民选举出议会来管理工业社会的财富和权力。

民族国家比旧的文明模式更为复杂。民族国家的政府需要组织更多的人民，对他们的生活管理得也更多，甚至要求他们的孩子必须上学。通过行政、法庭、警察和军队，国家和地方政府的权力得到了扩展。同时，国民变得更为富有，也坚持要获得更多的参与机会。国民变成了拥有选举权的公民。选举，而不是国家宗教，为国家的统治提供法理依据。议会对统治者起到了一定的限制作用。民族国家也能提供诸多形式的服务——基础设施、教育、医院、收容所等，民族国家也变得更具强制性，同时又更具共识性。

作为首个开始工业化的国家，英国于 1688 年建立议会，最先使国家民主化。（1581 年至 1795 年，荷兰曾经是共和国，称为“尼德兰七省联合共和国”。）19 世纪初开始，英国逐渐具备了现代国家的其他特点。

在北美洲，美国依照荷兰宣布独立的方式，在 1776 年宣布脱离英国的殖民统治而独立，从而建立了现代民族国家。此前，美国人并没有旧的国家体制需要推翻，但是同时，美国的人口密度极低，中央行政管理的发展也较为迟缓。

1789年法国革命一举推翻了旧的国家体制。多年来，他们在君主制和共和制之间摇摆不定，同时还依靠着拿破仑在19世纪建立的中央官僚制。

在南美洲，人们于19世纪推翻了欧洲人的统治，建立了多个民族国家。而日本、中国和俄国的君主制一直持续到了20世纪。

18世纪，欧洲人的意识发生了一次重大转变。人们开始对先前习以为常的残忍暴行感到厌恶——这包括折磨、奴隶制和严厉的处罚。他们开始意识到其他人也会和自己产生相同的感受，同时人们也开始呼吁，所有人都具有基本人权。为什么会这样？我们尚不清楚——也许大批量印刷使得小说和历史故事能够广泛传播是其中的一个原因。

1500年至1900年间，人们——尤其是欧洲人——开始疯狂地开采自然资源。经济发展成了国家的首要目标，而中产阶级日益成为国家的统治阶级。“资本主义”这一术语指的便是这一体系。政府开始学习如何鼓励和控制经济增长。他们通过为公路和铁路建设提供资金（投资）、建立金融体系、建立法律和秩序等方式来对经济进行干预。但是，他们也注意不去阻止竞争，因为他们认为竞争能够激发创造和发现新方法。20世纪时，苏联和中国等国家的政府尝试不依靠私营企业和非政府企业，而是直接管理经济发展，但是这些尝试未能产生与资本主义同样规模的经济发展。

20世纪（全球化的第三步）

20世纪开始时，人们开始开采石油和天然气这两种新型化石燃料。生活在 6 亿年前到 1000 万年前的海洋里的单细胞植物和动物，它们的遗体沉入海底并被埋起来之后，在高压的条件下变成了石油。天然气主要是变成化石的有机物释放的甲烷，通常会出现在油田附近。天然气主要是用来取暖的，而石油成为汽车和飞机发动机的能量来源。这些发明创造主要依靠日益增长的化石燃料产量，它们还解除了日常生活对许多人的约束，增加了现代生活的流动性。

20 世纪最初的 50 年里，工业国家卷入了两次世界大战，给世界带来了巨大破坏，战争的主要原因是他们要争夺殖民地和自然资源。第一次世界大战中，俄国、法国、英国与欧洲中部强国，如德国、奥地利以及奥斯曼帝国对抗，许多其他国家也卷入其中。在一战最后一年，美国也加入到战争中来。欧洲中部的几个国家于 1918 年投降。俄国从君主制国家转变成了社会主义国家，称为苏联（USSR），代表工人阶级的政府拥有了全部社会资源。

战胜国要求德国和奥地利支付巨额战争赔款，从而给这些国家带来了债务和通货膨胀，引起了人民的不满。后来纳粹在德国掌权，日本也为了获取资源开始四处侵略。第二次世界大战一触即发，最终美国、英国、苏联和中国组成的盟国获得了胜利。

到了 20 世纪后半叶，全球交换网络得以修复。许多其他国家开始迈入工业化进程。经济增长，或者说是调动资源建立军事力量并提高生活水平的能力，成了在现代世界获得成功的途径。美国和苏联进行了激烈的争霸，这就是所谓的冷战。然而，非洲、亚洲和拉丁美洲的冷战却并非没有硝烟，许多人死于这些地区战争。

美国和苏联之间的竞争围绕着一个重要问题：像苏联这样一

人类历史中的暴力

对许多人来说，20 世纪是人类历史上最暴力的时代之一：两场世界大战、纳粹试图对犹太人进行种族灭绝、美国在日本投放了 2 颗原子弹。人们不明白，为什么经过了在 19 世纪的许多工业国家出现的进步之后，还会发生这些事情。

20 世纪真的比历史上的其他时期更加暴力吗？你又是如何来评估暴力的严重程度的呢？你会使用哪些证据？

加拿大裔美籍进化心理学家和认知心理学家史蒂芬·平克（Steven Pinker）试图解答这些具有挑战性的问题。2011 年，他出版了《人性中的善良天使：暴力为什么会减少》（*The Better Angels of Our Nature: Why Violence Has Declined*）一书。平克决定计算一下人均暴力值，也就是说与总人口数相比，有多少人死于暴力。这个值是一个比率，而不是死亡人数。

平克发现在文明出现之前，全球平均暴力率为最高值，据估计每年全球每 10 万人中就有 500 人因暴力死亡。（其中一种证据是带有暴力痕迹的遗骸。）现代国家形成后，全球平均暴力率下降到每 10 万人中有 70 人死于暴力原因。20 世纪，虽然绝对死亡人数很多，但是人均暴力下降到每 10 万人中有 60 人死于暴力原因。到了 20 世纪七八十年代，美国每 10 万人中有 10 人死于暴力原因。到了 21 世纪开始的时候，西欧的情况为每 10 万人中只有 1 人死于暴力。因此，在更长的时间尺度上看，人类社会总体上变得越来越和平了。

平克注意到，在不同的时代，暴力思维与复杂的社会、文化和经济因素相关联。早期国家的崛起阻止了部落冲突的发生，而现代国家的中央权力也推动了一种“文明化过程”。（这一术语来自社会学家诺伯特·埃利亚斯［Norbert Elias，1897—1990］。）平克指出，18 到 20 世纪发生了“人本主义革命”，而且他认为，这是印刷机大批量生产书籍所引起的。他注意到，第二次世界大战以及保护妇女、儿童、少数族裔、同性恋者等弱势群体，甚至动物的权利革命之后，世界范围内出现了长久的和平状态。

平克也例举出了人性中的“善良天使”，比如同情心、自制力、道德和理性。尽管人类曾经给彼此带来很多的磨难，但是随着时间的发展，我们找到了将暴力数量降下来的方法。他认为，我们应该欣赏这一成就，同时我们也应该对使这一切成为可能的文明和启蒙力量心怀感激。

个拥有生产手段的政府，比起让私营企业和竞争性市场来掌控复杂经济决策的政府，能否更有效地促进经济增长？ 20 世纪 30 年代苏联的经济增长十分显著。到 70 年代中期，经济增长放缓，但仍很不错。之后，苏联的经济增长率开始下降。到了 80 年代，苏联在经济增长方面显然已经跟不上资本主义国家了。中央政府好像已经无法产生促进经济增长的创新活动了。苏联领导人试图进行经济改革，但在 1991 年失败，苏联解体。解体后的每个国家纷纷开始建立自己的市场经济。

支撑政府之间互动的是共同交流的急剧扩张。这种增长始于电报（19 世纪 60 年代）和电话（19 世纪 70 年代），在 1900 年之后加速发展，出现了农村电气化、电影、收音机、平装书和电视

1980 年的一台电脑
1977 年，家用电脑进入市场。这些电脑无法执行多任务，主要是用于玩游戏；到了 1987 年，美国仅有 15% 的家庭拥有电脑。

机。最早的电脑出现在 20 世纪四五十年代，到了六七十年代，伴随电脑的出现，美国的阿波罗登月计划在 20 世纪 60 年代和 70 年代实现了登月。不到 30 年前，从 1991 年开始，全球性的互联网出现了。金钱、观念和信息在几分钟的时间里（如果不是几秒钟的话）就能传遍全球，此时，“全球化”一词出现了。

如果我们仔细看一下 20 世纪的一些基本事实，就会看到一些让人难以置信的增长。全球人口几乎增加到原来的 4 倍，从 16 亿增加到 61 亿。全球经济增加到以前的 14 倍。能量的使用使人口和经济这种快速增长成为可能——在一个世纪的时间内就达到了原来的 16 倍。这一增长幅度在人类历史上是史无前例的。

20 世纪的经济增长使得许多人的生活水平都达到了历史上的最高水平。尽管在 2000 年，发展中国家仍有 1/3 的人生活在极度贫困之中，但仍有许多人得到了此前想都不敢想的营养、健康、

水体富营养

施入农田的化肥，一般情况下约有一半氮肥未被利用。流入地下水或池塘湖泊的过量营养物质促使水域中的浮游植物，如蓝藻、硅藻以及水草的大量繁殖，形成一层“绿色浮渣”，有时整个水面被藻类覆盖。藻类死亡后沉积于水底，微生物分解消耗大量溶解氧，导致鱼类因缺氧而大批死亡。富营养化水中含有硝酸盐和亚硝酸盐，人畜长期饮用这些物质含量超过一定标准的水，也会中毒致病。

教育水平以及旅行机会。

21 世纪，全球平均预期寿命翻了一倍还多，从原来的 31 岁涨到了 66 岁。从人类角度来讲，这是个惊人的成就。

当然，经济和人口增长在很大程度上依赖食物供应的大幅度增加。农业上的创新使食品增加成为可能。其中主要的创新包括，20 世纪早期开始制造化肥，60 年代出现了“绿色革命”，人们通过使用人造化肥，并通过选种等方法提高农作物产量。德国化学家菲里茨·哈伯（Fritz Haber，1868—1934）利用大气中的氮和氢合成氨，制造出肥料。这一化学反应过程需要高温，会消耗大量的石油。氨被制成硝酸盐类化肥，使得土地更为高产。化肥的大规模生产有可能为世界上额外的 20 亿人提供充足的食物。

但是，化肥会被排入到湖泊和海洋中，使得水生植物和细菌疯狂生长。当这些植物和细菌死后，它们的分解需要消耗大量的氧，由此导致附近的其他生物死亡，使得湖泊和海洋中出现了一些死亡地带。

20 世纪的成功政府推动了经济增长。这种增长依赖于化石燃料（埋藏在地下、储存了上百万年的太阳能）的使用。化石燃料简直就是现在从过去那里赢来的大乐透，人类在 20 世纪之后疯狂消耗它。

过度使用化石燃料的后果是什么？这些化石燃料还可以供人类继续使用多长时间？这些问题将引领我们进入下一章的内容。

世界历史学家是怎样工作的

只要一个个的文明仍然是人类社会的主要形式，历史学家就会把历史描述成单独的、独立的文明的故事。即使是在撰写世界史的时候，他们依然这么做。如果你对此感兴趣，可以查阅一些 20 世纪历史学家，如 H·G. 韦尔斯（H. G. Wells）、阿诺德·汤因比（Arnold Toynbee）和阿诺德·斯宾格勒（Arnold Spengler）等的作品。

随着文明转变成国家，而且世界变得更加全球化，寻求一种描绘世界史的新方式显得尤为必要。出生于加拿大的美国历史学家威廉·H. 麦克尼尔便担当起了这样的重任。他关注的是文明之间的文化联系和交换。他写了第一部真正的世界史，并且他慷慨地支持大历史研究，为大历史开辟了道路。

一个人如何才能成为历史学家？对威廉·麦克尼尔来说，其实十分简单。他的父亲约翰·T. 麦克尼尔（John T. McNeill）是一位历史学家，研究欧洲新教。他的儿子也追随他，不过研究范围更为广泛。

麦克尼尔的父亲在加拿大东海岸的爱德华王子岛上的一座农场

里长大。他被蒙特利尔的麦吉尔大学录取，之后搬到了西海岸的温哥华，在那里他认识了来自温哥华岛的奈塔·哈迪。他们结婚后，麦克尼尔在温哥华出生。之后全家搬到了多伦多，在这里，麦克尼尔能够在夏天的时候到位于爱德华王子岛的祖父母家的农场里玩耍。

麦克尼尔 10 岁的时候，他们家搬到了芝加哥，麦克尼尔的父亲在那里的芝加哥大学神学院教书。这使得麦克尼尔有机会进入约翰·杜威在芝加哥大学建立的著名的实验学校。麦克尼尔在芝加哥大学读完了本科，当时的校长是罗伯特·哈钦斯；学校的课程主要以哈钦斯和莫蒂默·阿德勒教授的 2 年研讨班为基础，这给这位年轻的历史学家留下了深刻的印象。

麦克尼尔 10 岁的时候就在尝试把更大尺度的历史综合在一起。他认为人类历史一定存在某种循环模式，而他想找到这种模式。在大学里，他选修了一门人类学课程，这门课让他知道了平原印第安人是如何通过从西班牙人那里借来的马匹建立了一种新的文化。从陌生人那里借来东西，把新事物和旧事物融合在一起，这一想法对他来说就是历史变迁的正确模式。

麦克尼尔在纽约伊萨卡的康奈尔大学获得了博士学位。博士第二年的时候，他读了阿诺德·汤因比所写的《历史研究》（*A Study of History*）的前 3 卷，这是他读过的最引人入胜、最值得一读的作品。汤因比的作品为麦克尼尔打开了历史的新窗口。

麦克尼尔正准备写自己的毕业论文，内容是马铃薯在爱尔兰历史中所扮演的角色，此时，他被征召入伍，参加二战。他入伍后，被派驻世界各地，持续 5 年零 2 个月——他先后到过夏威夷、波多黎各、库拉索岛（委内瑞拉北部海岸附近、加勒比海南部的

威廉·H. 麦克尼尔
2010 年，奥巴马总统授予麦克尼尔美国国家人文奖章，表彰他作为教师和学者做出的突出贡献。

一座岛屿）、开罗和希腊。这些经历有助于他成为一名更出色的历史学家，让他认识到他要写的大历史著作，需要囊括世界上所有的文化，而不只是西欧的文化。

二战结束后，麦克尼尔在康奈尔大学完成了博士学位，之后开始在芝加哥大学教授《西方文明》。他的脑海里一直构想着大历史书，并于 20 世纪 50 年代开始执笔写作。他放弃了自己先前一直在追寻的循环模式，转而强调不同文明和民族之间的联系和交换所带来的创造性效果。这本书出版于 1963 年，名为《西方的兴起：人类共同体史》（*The Rise of the West: A History of the Human*

Community）。尽管这本书对于非洲历史和太平洋岛屿历史所论不多，但仍不愧是第一本真正意义上的世界通史。

麦克尼尔继续写作了一系列书，对历史学家来说都十分重要。2003 年，时年 85 岁的麦克尼尔和他的儿子约翰 ·R. 麦克尼尔（John R. McNeill）共同写作了一本书，名为《人类之网：鸟瞰世界历史》（*The Human Web: A Bird's-Eye View of World History*）。这本书是向大历史迈进的一大步。“人类之网”这一概念与万维网（World Wide Web）遥相呼应，它将人与人之间的相互作用视作网络。这些网络，从早期农业时代稀疏的本地域网络，变成了更为密集、交互性更强的土地文明的城市网，然后又演变成如今的全球网，复杂性不断增加。

95 岁时，麦克尼尔仍在种植马铃薯，他于 2016 年去世，享年 98 岁。他为理解人类的历史做出了巨大贡献，同时他认为 20 世纪主要的智力成就是：“与前人相比，建构了对宇宙和人类历史的更为充分的了解。”（麦克尼尔，2005，vii，前言）

知识前沿的疑问

20 世纪后半叶时，生态学成了一门热门学科。生态学的英语“ecology”源于希腊语，意为“对房屋的研究”。它是生物学和地球科学的交叉学科，研究的是生物与其生存环境之间的相互作用。生态学研究的经典作品——蕾切尔 · 卡森的《寂静的春天》（*Silent Spring*, 1962）记录了杀虫剂（DDT）是如何毒害了人类的食物链，这本书使得全世界从 2001 年开始禁止在农业生产中使用 DDT。

- 人类在思考自身与环境的关系时，开始发问：地球对人的承载力是多少？在不破坏保证人类生存的系统的情况下，地球能够供养多少人？

“环境承载力”是一个生物学术语，它指的是环境在不枯竭或不退化的情况下，能够持续供养的任何一个物种的最大数量。当人口数量低于环境承载力的时候，人口一般会增加；而当人口数量高于环境承载力的时候，人口一般会降低。

想要搞清楚地球对人类的环境承载力，我们需要考虑诸多复杂的因素。这包括消费水平，也包括人口数量。另外，环境承载力可能随时间而变，这是因为自然资源也在发生变化或退化。根据所估计的消费水平，对地球的人口承载力的估计各不相同，数值少则 20 亿，多则 400 亿。

据 2008 年所做的估计，美国中产阶级的生活水平远远高出勉强维持生活这一水平——是最低食物水平的 3.3 倍，最低用水水平的 250 倍。（http: //science.howstuffworks. com/environmental/green-science/earth-carrying-capacityi.html）如果地球上的所有人都是生活在这一水平上的话，那么据估计地球的环境承载力约在 20 亿人左右，甚至更少。

我们用“超量”（overshoot）这一生物术语来表示超过环境承载力的增长。如果不能尽早修正，最终就会导致物种灭绝（见 www.paulchefurka.ca/Population.html 上的图片）。20 世纪末的时候，有些人开始意识到：“天哪，人类竟然也出现了过量！”华盛顿大学的社会学家威廉 · R. 卡顿（William R. Catton，Jr. ，1926—2015）

在他的一本重要作品《超量：革命性变革的生态学基础》（*Overshoot: The Ecological Basis of Revolutionary Change*，1980）中提到了这件事。

- 20 世纪的时候，科学家们对人类大脑的认识又推进了一步。神经科学是一门研究神经系统、大脑、脊髓和周围神经系统的学科；它是涵盖了生物学、化学、医学、计算机科学、数学、基因学、哲学和心理学的交叉学科。它研究的是意识的本质，以及非意识过程如何与意识相联系。它试图解决的问题包括：神经系统是如何形成和工作的？人类认知和情感与特定的神经位置有何映射关系？人类意识是如何形成的？放电神经元是如何让我们产生“有意识”这种意识的？

20 世纪末 21 世纪初，对人类大脑的研究取得了重大进展。新技术使研究者能够通过探测特定大脑细胞的光敏性来探测到特定大脑细胞的反应，并用闪光激发这些脑细胞。另一项技术使得研究者可以用胶体替换小鼠脑中的脂肪，使得光束能够穿过，进而向人们展示出完整的脑细胞和神经纤维。用不了多长时间，研究者就可以绘制出小鼠脑部的完整图像，并最终绘制出人类大脑的完整图像。

当下，许多研究都集中在对大脑的研究上。请继续关注接下来对于人类意识研究的新进展。

现代性与你

你生活在一个全球化的世界里。如果此时此刻你正在读这本书，你很可能生活在某个现代民族国家的城市里，而不是某个君主制国家。现代民族国家会要求你接受教育、购买医疗保险、考取驾驶证并纳税。你过的并不是自给自足的生活——你消费其他人制造或售卖的产品。你会选择一份工作，并会由此获得报酬，你用所得的报酬来换取需要或想要的东西。你可能觉得自己是独立的个体，而不是某个亲属圈子或者地方团体中的一部分。你有自由，也有责任，尽力把自己的生活打造成自己想要的样子，同时你还是某个支撑你的社区的一员。

这些是现代社会生活赐予你的一些礼物。为此你要付出什么？也许最大的付出就是你和自然世界之间的明显的隔离。如果你居住在某个人口密集的城市里的公寓或房子里，你可能就没有能种点植物的院子，更别说饲养野生动物了。足够富有的人可以花钱去探索野外世界，或是到夏威夷的海滩上度假。在这里，他们能暂时感受到自己是更大的整体——完整的自然世界——的一部分。

不过，即使是在现代化的城市里，你仍然是自然的一部分。你和食物、水、空气、大气、鸟、树木——甚至小猫小狗——都保持着密切的联系。其他人也是自然的一部分。关键是，不要让你的人际关系以及和机器的关系淹没了你对支撑人类活动的自然环境的意识。随着人类即将达到耗尽地球资源的极限，许多人都开始重新审视自己和自然界的关系。

让我们回到本章提出的问题上：国家和机器从何而来？哪些能源使它们得以产生？

继续探索

初级

McNeill，William H.，and McNeill，Ruth J.（2009）. *Summers long ago: On grandfather's farm and in grandmother's kitchen.* Great Barrington，MA：Berkshire Publishing.

www.bighistoryproject.com.

中级

Brown，Cynthia Stokes.（2007 & 2012）. *Big history: From the Big Bang to the present.* New York：New Press. [Chaps. 11-12].

高级

Catton，William R.，Jr.（1980）. *Overshoot: The ecological basis of revolutionary change.* Urbana：University of Illinois Press.

McNeill，William H.（2005）*The pursuit of truth: A historian's memoir.* Lexington：University Press of Kentucky.

Pinker，Steven A.（2011）. *The better angels of our nature: Why violence has declined.* New York：Viking.

网址

www.ted.com/talks　史蒂芬·平克，2007，《暴力的惊人减少》（*The surprising decline in violence*）。史蒂芬·平克在 TED 演讲中论述我们正生活在人类历史上最和平的时代。

http: // www. science. howstu ffworks.com/environmental/green-science/earth-carrying-capacity1.html　一位科普作家讨论地球是否达到了其运载负荷。

http: //www.paulchefurka.ca/Population.html　2007 年 5 月，一位加拿大可持续性发展的活动人士保罗·切弗卡（Paul Chefurka）提供了准确的人口增长信息。

11

The Future

第11章

未来

现在，我要讲述你可能最感兴趣的部分——未来。我们往哪儿去？人类和自然界的其他事物在不久的将来会走向何方？在更遥远的未来呢？我们都希望能得到这些问题的答案。

有一件事是确定无疑的——我们无法知道未来，也无法依据某些证据来预测未来。我们没有有关未来的数据，我们甚至无法描述清楚当下的所有复杂性。我们所能做的，就是尽可能正确地判断当下的长期趋势，并将其视作某种可能性投射到未来。

现在

我上大学的时候学的是历史，那大约是 60 年前了。那时候老师告诉我，凡是发生不到 50 年的事，都属于社会学或政治学的范畴，而不是历史。给我上课的教授都说，对历史学家来说，他们根本没有办法从新近发生的事件中抽身，把这些事当作历史来研究。

让我们带着当年我得到的这些警告，来好好思考一下现在。我们似乎生活在一个满是悖论的世界里。20 世纪时，大量人口的生活水平获得了大幅提高，预期寿命延长。尽管贫富差距增大了，但是更多的人过上了至少算是舒适的生活。从短期的人类角度来看，这代表着巨大的成就。但是这种人类消费水平的大幅提升也可能会有副作用，这种副作用可能会使未来世界的人们再次生活在像过去一样艰苦、贫穷的环境里。

	人均能量使用值（单位：瓦特）
狩猎者	203
原始农民	480
先进农民	1040
工人	3080
掌握技术的人	9200

人类历史中的能量消耗

两个表中的数据均是基于估测值。把人均能量乘以人口数量，就能看出随时间变化，人类能量使用出现了多么巨大的增加。

	人均能量使用值（单位：瓦特）
全世界	2506
孟加拉国	279
荷兰	6185
美国	9358
卡塔尔	23727

2011 年的世界能量消耗

该图显示了世界不同国家能量使用情况的差距。孟加拉人知道卡塔尔人有什么吗？（引自国际能源机构，《世界能源关键数据》，2013）

太历史故事的整体情节，看上去好像是随着能量流的增加，其复杂性和脆弱性也在增加。让我们来看一下对不同的历史时期的个人所消耗的能量的估计值。

当然，2011 年时，不同地方的人的能量使用情况大不相同。

技术文明最显著的特点是深入获取能量的能力。正如第 10 章所讲的，人类通过燃烧化石燃料来使用储存了上百万年的太阳能。这一过程向大气中释放二氧化碳。二氧化碳允许太阳光穿过大气层到达地球，但却不让辐射热离开大气层。这就像植物温室一样，温室的玻璃允许太阳光射入，却阻止热量散发出去，同样的道理，地球的温度会逐渐升高。所以目前发生的全球变暖现象又叫“温室效应”。

当你驾车、烹饪或打开电灯的时候，你都会向大气中释放一点儿二氧化碳。目前，碳基燃料为大部分汽车、飞机、船只和大部分的发电厂提供能量。在地球历史上，从来没有哪个物种能像人类一样消耗这么多的能量，可以说是史无前例。难怪我们不知道以后会怎么样呢。

人口的演变又是另一个重要趋势。尽管 20 世纪时人口数量较之前增加了 4 倍，增长速度比人类历史上的任何时期都快，但现在的增长率却在下降。

当生育率处于 2.1% 到 2.3% 之间时——当然还要根据死亡率的情况——就会出现人口自然更替或稳定的情况。（生育率指的是平均每位女性一生中所生育的孩子数量。）2013 年，世界上有 75 个国家的生育率都低于人口更迭率。例如，日本的生育率是 1.39%；中国是 1.55%；欧盟，1.55%；俄罗斯，1.61%；巴西，1.81%；伊朗，

1.86%；美国，1.86%。

但全球人口数量仍在增加。撒哈拉以南非洲的生育率最高，人口数量的增加主要发生在这些地区。几项重要预测都认为到2050年，全球人口数量有90%的可能达到90亿。

生育看似与城市生活有关，城市中的女性所生育的孩子数量较少。如果城市化和发展继续下去，那么最晚到2050年，全球大部分国家都会经历人口衰减。这也会带来一些问题——市场缩小、工人减少、需赡养照顾的老年人增加。要想继续推进城市化，粮食产量就要不断增加。然而，粮食产量的提高需要持续不断地使用大量的杀虫剂、化肥和水。生育率的前景非常不确定。

从政治角度来讲，全球局势的变化主要是20世纪后期美苏两个超级大国争霸的局面发生了改变。现在，几个新兴强国——中国、印度、巴西、伊朗——也加入到美国、俄罗斯以及欧洲的竞争中来，形成了多极世界竞争的图景。各个国家在全球化网络中的联系日益紧密。

从技术层面来讲，世界上正发生着令人难以置信的快速创新。这些创新也许是开始自20世纪中期核弹和核能的发展。1991年，万维网开始运行（参见词汇表中的解释）。电脑在无法预知的方向，改变了人类生活的多个方面。现在，手持电脑（智能手机）正在改变通信的本质。太阳能电池板能够获取更多的太阳能。通过编程，机器人可以驾驶汽车。世界的变化速度太快了，很难预测下一步会发生什么。（要想了解机器人和人工智能的相关信息，见下一部分。）

从经济角度来讲，世界上几乎每个国家都在使用资本主义的体系进行贸易往来和交换。苏联社会主义的终结意味着资本主义成为世界上占主导地位的经济制度。但是，资本主义制度造成了严重的不平等，贫富差距悬殊。2013 年，世界上排名前 85 的最富有的人所拥有的净资产总额等同于全球 35 亿最穷的人的资产总额。

资本主义主要依靠经济增长给投资者带来收益回报。增长意味着增加产品数量和购买者人数，它也意味着使用更多的自然资源制造产品。这就产生了矛盾——人类的经济体系正在接近全球自然资源储备总量的极限。

这一经济体系也已达到债务总额的上限。货币已经不再与某种自然元素（如金银）挂钩了。货币的增加，是日益增长的债务所带来的，是银行凭空造出来的。2000 年以来，全球债务几乎增长到国内生产总值（所有产品与服务所创造的价值总额）的 7 倍。

为了给 74 亿人生产粮食，人们几乎耗尽了地下水，而这些水资源是上千年以来逐渐积累形成的。我们现在使用的化肥在制造过程中需要燃烧大量的化石燃料，依靠化肥生产出来的粮食，据估计额外养活了 20 多亿人。

化石燃料的广泛使用，至少是导致气候变化（这一点已经毫无疑问）的部分原因。我们可能正在接近过去一万年以来的气候稳定期的末尾，现在面临着适应尚不可预测的新气候的问题。气候变化也会影响我们的粮食产量，带来更多的极端天气，导致携带病菌的昆虫数量增加，甚至有可能淹没沿海城市。随着我们可能正在接近一个重大转变，或称临界点，当下是一个充满了史无前例的变化、挑战和不确定性的时代。

人类世：人类的时代

诺贝尔奖获得者、荷兰大气化学家保罗·克鲁岑（Paul Crutzen）让“人类世”这一术语流行开来，它指的是人类对地质过程产生巨大影响的时代。克鲁岑认为这一过程始于18世纪晚期的某个时间，其标志是1784年瓦特改良蒸汽机。

克鲁岑是一位世界科学明星。他的父母从邻国移民到荷兰，父亲是一位作家，母亲负责家务，同时还在医院厨房里工作。克鲁岑在阿姆斯特丹上学时，正好是二战时期，社会混乱。他在一所路桥房屋建筑公司工作，后来与一位叫特图·索尼恩的瑞典女士结婚，到了25岁的时候，他移居瑞典。在那里，克鲁岑在一家世界上最先进的电脑实验室找到了一份工作，最终获得了大气化学博士的同等学力资格。

除荷兰语外，克鲁岑还学习了德语、法语和英语。他曾在瑞典、英国、美国、韩国和德国工作过。他研究的是臭氧层的消失问题，得益于这一研究，他于1995年获得了诺贝尔化学奖。

另一位名叫尤金·F.斯托默（Eugene F. Stoemer，1934—2012）的教授才是真正创造英语中“人类世”这个术语的人。他在密歇根大学教授生物学。克鲁岑利用自己诺贝尔奖获得者的名誉使这一术语在国际科学界广为人知。他之所以想到人类纪元这一观点，是因为每当他想要研究纯自然的时候，他发现无论他选择哪个课题，都会在某一方面涉及人类。世界上好像根本就不再有什么纯自然了。

克鲁岑提出，“人类世”应属于地质术语，因为对地球的大时间跨度命名的是地质学家。我们现在所处的地质年代叫“全新世”（1.17 万年前至今）。（可在下列网址查看地质年代的简化版本：www.stratigraphy.org。）

“人类世”这个词要想成为正式术语，地质学家需要在其学术组织中使用它。最终决定权属于国际地层委员会，其上级组织是国际地质科学联合会。

目前“人类世”这个词仍然只是个广泛使用的非正式术语，至于它起自何时尚无一致意见。地质学家要正式采用这个术语，那么他们就必须确定该时期始于何时，以及自然材料中的哪些标记可以用于记录这一时期。他们将这种标记叫“金色道钉”。

什么东西可以作为标记？克鲁岑和其他人认为工业革命可以作为标记。但是自工业革命以来，大气中二氧化碳的增加是循序渐进的，很难形成一个确切的时间标记。

也有些人认为 1964 年可以作为时间标记，这一年核武器测试造成的放射性坠尘达到峰值。地质学家可以在许多沉积物中找到放射性的痕迹。虽然这是一种好的标记，但是核武器测试还算不上改变地球面貌的事件——尽管核战争毫无疑问是可以改变的。

伦敦大学学院的科学家在最近的研究中指出（《自然》，2015 年 3 月），1610 年可能是合适的年份。他们认为地球两个半球间的联系始于 1492 年，随之而来的动植物以及疾病的交换，是改变地球的事件。他们发现了一个能标记“人类世”的“金色道钉”——南极冰芯记录下来的大气层中二氧化碳的含量出现了显著下降。

这种下降是欧洲人抵达美洲引起的，仅在几十年间，欧洲人带来的天花便使5000万原住民丧命。农耕的衰退和森林的再次繁茂，使得大气中二氧化碳的含量显著降低，产生了一个“金色道钉”，他们将其命名为“奥比斯道钉”（奥比斯［orbis］是一个拉丁词，意为“世界”）。

这一观点能说服国际地层委员会吗？让我们拭目以待。

此外，科学家还告诉我们，人类对地球上的资源进行利用的广度和深度，正在导致其他物种的大灭绝。灭绝的物种种类非常多，使得这一次大灭绝算得上是5.5亿年以来第6次物种大灭绝。据估计每年约有25000种物种消失，平均每天超过50种。过去40年间，地球上约有一半的动物物种已经灭绝了。气候变化、有毒的化学物质和塑料废弃物、拖网捕鱼，所有这些都危及海洋生态，使得海洋生物体系趋于崩溃。

怪不得许多人都给这个时期起了一个新的地质学名称——人类世（Anthropocene），意为人类成为主导力量的时代。

合情合理的短期情况

我们如何把找到的趋势投射到未来？那让我们从人口数量谈起吧。

全球人口的增长率正在减慢。据预测，如果人口在增长过程中木受限制，那么到 2050 年，全球人口达到 90 亿后会趋向平稳。这种稳定似乎与日益加速的城市化、方便获得的避孕用具、妇女进入职场、提供养老金来赡养老人而不是“养儿防老”等方面息息相关。但对于 2050 年后的情况，人们各执一词。有些人认为到 2075 年，世界人口达到峰值，约为 94 亿人，然后开始下降；还有些人预测人类人口有 80% 的可能达到 123 亿；另外还有人认为 2050 年后人口将会开始衰减。

我们正处于 5.5 亿年以来的第 6 次物种大灭绝阶段，我们预计这种灭绝的趋势还会继续发展下去。最终，北极熊、黑猩猩、老虎、熊猫、大象和座头鲸都注定会灭绝。这个过程会多么快？人类作为食物链顶层的哺乳动物，同样也面临着巨大的危险。

气候变化的速率比此前的诸多预测都要快。没人知道未来的速率会怎样——循序渐进，还是由于正反馈起作用发生骤增。

乐观主义者认为，人类最终会利用可持续能源，找到打破当下危机瓶颈的办法，从而迈向未来。但想要出现这种情况，需要惊人的创新力、全球人口数量的减少、低水平的消费、控制碳排放、从使用不可再生资源变为使用可再生资源（如太阳能、风能和潮汐能）等诸多因素的相互结合。

乐观主义者观点的另一个例子取自莱斯特·布朗的书（Lester Brown）《伟大的转变：从化石燃料到太阳能和风能》（*The Great Transition: Shifting from Fossil Fuels to Solar and Wind Energy*，2015）。布朗曾是一位种植番茄的农民，在洛克菲勒基金会的资助下，在 1974 年成立了“世界观察研究所”（World Watch）。从那时起，他便开始就世界现状和人类需要做的事等主题定期发布报告。

在《伟大的转变》一书中，布朗提出能量的转变正在进行。这是全球经济的大规模重组，从基于煤炭和石油的经济转换到以太阳能和风能为驱动的经济。他说，为避免发生不可控的气候变化，我们必须将半个世纪才能做出的改变压缩到下个十年之中完成。他认为政府需要做出努力，启动这一转变，但是自由市场已经在推动这一转变了。

1954 年，新泽西的贝尔实验室已经率先造出了第一个太阳能光伏电池。现在，中国生产了全世界 2/3 以上的太阳能光伏电池。这种电池的制造成本下降迅速，布朗认为能量转换比我们预期的要快。他认为关键的问题，是这一转换是否足够快，使世界避免灾难性的气候变化。只有时间才能告诉我们答案。

另有一些人预测说当前创新的爆发仍会继续，带来机器人技术、人工智能，而且最终人与机器会相互融合。（这是一种悲观主义还是乐观主义？）想了解人工智能方面的更多信息，可以参照“知识前沿的疑问”这一部分。

美国天体物理学家劳伦斯·M. 克劳斯（Lawrence M. Krauss）提出了一种可能的较为悲观的情况：

> “全球可能会发生爆炸式人口增长，加上资源愈发匮乏、全球变暖、污染严重等问题，另外再加上迷信可能战胜逻辑和理性，这些会导致灾难性的战争频繁发生，或是神权国家出现，压制科学思想。而这一切，很可能发生在科技远未达到我所描述的阶段之时。（这一阶段人们创造出了智能化，具备自我意识和自我编程能力的电脑。）”

> 引自：克劳斯（2001），《原子：一个氧原子从大爆炸到地球生命……的历程》（*Atom: A Single Oxygen Atom's Odyssey from the Big Bang to Life on Earth ... and Beyond*）。波士顿：利特尔，布朗，249。

最悲观的预测是人类已经破坏了当前的气候稳定，而且人类无法避免气温上升，这种变化对人类文明来说是灾难性的。英国独立科学家詹姆斯·拉夫洛克的预测便属于这一类，不过到了 2014 年，他改变了想法。

短期来看，我们的主要问题是人类能否找到在地球系统中可持续生存的方式。如果我们使用可再生能源，那么与现在相比，富裕社会能使用的资源就会很有限。所有人都会同意生活在这种最适宜的限度之内吗？富裕社会中的人们会改变他们已经习惯了的生活方式吗？气候正在发生变化——我们能否做出改变？

最可能发生的情况其实是上述多种情况同时发生，以一种难以预见的方式相互作用。敬请期待令人惊奇的故事发展。

中期与长期情况

未来几千年后发生的事件是最难预测的。对于这个跨度的未来，我们的思考能力完全无法应对。我们看过许许多多的猜想和科幻故事，它们包括了从最无望（反乌托邦）的局面到最有希望（乌托邦）的局面之间的所有情况。

- 目前有一些电影能很好地反映人类对于未来世界的设想。例如，可以观看：《她》（*Her*）（一位男士爱上了操作系统发出的声音。在电影中，这个声音表现出的对世界的热爱远甚于人类）；《机械姬》（*Ex Machina*）（一位男士爱上了一个机器人——伊娃，他正在对该机器人进行面试，看它能否模仿人类）；《星际穿越》（*Interstellar*）（一支美国国家航空航天局小组躲过了气候变化灾难，开始探索并寻找其他适合人类居住的星球）。

书籍也是了解人类对未来设想的好途径。可以读一读阿拉亚·约翰逊的《夏天的王子》（Alaya Johnson，*The Summer Prince*, 2013）；石黑一雄，《别让我走》（Kazuo Ishiguru，*Never Let Me Go*, 2005）；或玛格丽特·阿特伍德，《洪水之年》（Margaret Atwood，*Year of the Flood*, 2009）。

令人惊奇的是，当我们展望更长期、遥远的未来——几百万年甚至几十亿年后的未来——即当我们这种人类已经不存在之后，我们预测起来更加自信。那时候的总体情况可能是：气候在冷热之间大幅度反复变化，陆地漂移，海洋时而开阔时而闭塞，小行星撞击地球，火山爆发，物种灭绝，新物种产生。人们预测，5万年后，至少会有一颗体积巨大的小行星撞上地球；而10万年后，地球上可能会发生超级火山大爆发。5000万年到2亿年之后，地球上的陆地很有可能会形成一块新的超大陆。

陆地每年都会以5厘米左右的速度漂移，也就是说6000万年会漂移约1600千米。地质学家估计，按照当前的大陆漂移的速度推算，未来这些大陆会重新连接在一起形成一块超大陆。不过对于到底会如何排列，他们存在不同意见。他们将其中一种可能命名为阿美细亚（Amasia），另一种则叫作新盘古大陆（Novopangaea）。

10 亿年后，太阳会变得更热，海洋会蒸发消失。20 亿年后，太阳的亮度将比现在增加 40%，地球上的水分会消失，地表将会被烤干，一片荒芜。

40 亿年至 50 亿年后，太阳上大量的氢层将会燃烧殆尽，内部压力减小。之后太阳便会开始氦燃烧，体积膨胀。它会吞噬水星，然后是金星，而地球的命运仍不清楚。太阳可能会吞噬地球，使其蒸发掉，或者太阳可能会甩掉部分质量，已经烤焦的地球可能会向外移动到一条新的运行轨道上。

约 50 亿年后，银河系会和距离它最近的星系仙女座交汇。由于每个星系中都有大量的空间，因此星系相交后也不会发生太多的恒星碰撞，但是引力却会改变星系的整体形状。

几乎与此同时，太阳内部的氦会消耗殆尽，太阳核心会爆炸坍缩，爆炸产生的热会产生碳分子，散布到宇宙空间，成为下一颗恒星产生时所需的原料。一个致密的核会留下来，体积与地球相仿，形成白矮星。

最终宇宙中恒星的形成会停止——但是谁知道到底是什么时候呢？科学家们对于宇宙的终极命运意见不一，其命运可能是不可知的。目前，人们普遍接受的观点是暗能量会导致宇宙无限膨胀。最终，恒星会消失在化学物质和黑洞组成的星云之中，而这些黑洞最终也可能会泄露出物质。经过成百上千亿年，物质最终会

新超大陆地图

这是地质学家构想出来的 1 亿年后阿美细亚大陆可能的外形。

蒸发变成基本粒子，这些粒子会衰变变成均匀的低水平能量。宇宙也会变得更加广阔、更加简单，不再有像今天这样的能量的变化和复杂性。

但实际上，在不了解暗能量的本质的情况下，我们无法确定宇宙的最终命运。宇宙会无限度膨胀吗？或者是会坍塌，重新形成宇宙起源时的高热和高压状态吗？它会突然间分裂吗？

那人类会到哪儿去？你又会如何回答这些问题？你对科学家们给出的对宇宙未来的描述满意吗？

未来学家是如何工作的

现在有一门科学叫未来学（futurology），未来学家也有相应的学术职业。未来学家有许多不同的职业发展方向，他们可以成为学者、分析师、顾问、倡导者或积极分子。

他们的工作是研究变化和连续性的力量，这一点和历史学家相似。但是，未来学家关注的是这些力量如何组合在一起创造未来。他们认识到未来有多种可能，并试图了解所有的可能性。

早期，一群对未来感兴趣的人建立了一个组织，叫“罗马俱乐部”。该俱乐部是 1968 年在罗马的一个别墅里建立的，这是由来自世界各地的对未来感兴趣的人建立的智库。他们的任务是确定并交流探讨人类所面对的重大问题。

1972 年，罗马俱乐部发布了一篇报告，名为《增长的极限：罗马俱乐部关于人类困境的报告》（*Limits to Growth: A Report for the Club of Rome Project on the Predicament of Mankind*）。该报告依据的是麻

省理工学院的一项研究撰写的，最早将地球看成单一系统的电脑模型。麻省理工的设计者在电脑模型中使用了 5 个变量：人口、自然资源（包括能量）、人均粮食产量、人均工业产量和污染。他们进行了不同水平的预测，但是无论在什么情况下，最终结果都是地球会崩溃。在他们设定的标准模型里，到 2020 年之前，粮食和工业产量的增长趋势会持续到 2020 年，之后就会开始减少。人口数量到 2070 年时达到峰值，之后也会减少。在该报告面世后最初的 30 年里，世界发展都是严格按照其预测进行的，只是某些资源并没有像当时人们预测的那样消耗得那么快。

知识前沿的疑问

- 人类基因工程能实现吗？

1997 年，一本名为《再造伊甸园：美丽新世界里的克隆与超越》(*Remaking Eden. Cloning and Beyond in a Brave New World*)的书面世，作者是美国生物学家李·锡尔弗（Lee Silver）。该书被译成 14 种语言，书中解释并鼓吹人类基因工程可以创造出更聪明、更有天赋、更招人喜欢的孩子。选择性育种，或 DNA 改造与胚胎选择，就能使这种情况成为现实。锡尔弗认为只有富人才有能力和钱财负担得起，由此便产生了一个新阶级，他将这个阶级叫作“基因贵族”（Gen-Rich），这部分人约占总人口的 10%，剩下的 90% 就是“自然人”。

创造经过设计的婴儿也成为可能，最近的进展也已经让这件事变得较为容易了。但是据我们目前所知，这项工程还没有真正开始实施，因为其中蕴含着巨大的风险。一方面是大部分基因都不只有一种作用，所以我们无法预测改变基因的副作用。另一个问题是基因工程耗资巨大。支持者认为总会有人来做这件事。许多国家也通过立法禁止人类基因工程，但目前还没有国际性的禁令。

- 人工智能会与人类智能比肩甚至超越人类智能吗?

与基因工程密切相关的是一种叫作人工智能的电脑技术的发展。这种电脑可以执行需要人类智能才能完成的任务，例如语音识别、视觉感应、决策制定以及语言翻译。这些发展有可能带来某种超智能，即超过人类认知能力的智能。这种超智能可能是通过为了提高人类智慧的基因工程来实现的，也可能是将人类与电脑相结合，或是电脑自身实现的。目前，电脑已经可以在国际象棋比赛中击败人类了。电脑还能帮助人们进行医疗决策，或是根据以前的选择向人们推荐图书和音乐。机器人还能打扫卫生、修剪草坪、识别面部、投射炸弹和进行股票交易。如果没有谷歌搜索引擎——它有可能是目前为止最伟大的人工智能机器——我们还能做什么？如果机器超过了人类的智能，那么就有可能出现巨大的危险。它可能会发生在什么时候？有些专家相信，到 2050 年，机器有 50% 的可能会变得和人类一样聪明。在那之后，人们多快就会发展出超智能？有些人说只需要几年，有些人则说需要 30 年。谁知道呢？

• 远距离太空旅行可以实现吗？

人类登月距今差不多已有50年了。2010年，美国总统奥巴马预测美国将在2030年之后将人送入火星轨道，这对火星任务的想法来说是一种推动。没人提到这项任务最终会耗资多少，但是刚开始谈论的投资便达到了约1000亿美元。

目前，人们预计飞到火星约耗时9个月，返回时间则更长。（与地球相比，火星绕太阳运行一周所需的时间约为地球的2倍，两颗行星之间的距离从3500万英里到2亿多英里之间不等。）科学家需要考虑好怎样才能装载足够的燃料用于返航，以及需要携带多少补给才能让火星成为人类可以定居的星球。

科学家们正在设计飞船密封舱和火箭发动机。让火星或其他星球变成适合人类居住的过程，叫作“外星环境地球化”（terraforming [terra是拉丁语，意思是“地球”]）。此类任务可能包括使用核爆炸来融化火星表面下的冰，在轨道上放置巨大的镜子来聚集太阳热量，或培育能在火星上生存的细菌。

2003年，中国成为继美国、俄罗斯之后第3个向太空中发射载人飞船的国家。（宇航员“Astronaut”一词源自希腊语，意为“恒星航行者”。而“Cosmonauts”一词来自俄语，意思是“宇宙旅行者”。）在中国，宇航员叫“taikonauts”，源自“taikong”（太空）一词，是“great emptiness”（虚无）一词与希腊语中的“sailor”（航行者）一词结合而来的。自2003年以来，中国的太空项目逐步稳定发展：中国有自己的绕地空间站，也有月球和火星载人航天计划。

与飞往火星相比，前往其他星球更为复杂艰难。当然，距离地球最近的恒星是太阳。此外，距离太阳最近的恒星系统是由引力结合在一起的三星系统，其中包括半人马座阿尔法星、贝塔星以及比邻星。比邻星距离地球 4.24 光年。如果乘坐现在最快的飞船，速度保持在每小时 4.83 万千米，从地球到比邻星大约需要 10 万年。尽管很多热门的电影都描述了宇宙飞船从一个星球一下子就飞到了另一个星球的情况，但是短时间内，我们是无缘造访另一颗星球的。现在的情况就像弗莱德·斯皮尔所说的一样，“目前，对于远距离太空旅行，还没达到金发女孩条件”。

- 人们能够生产并处理现今全球社会所需要的巨大能量流吗？人类是否足够聪明，能处理好整个生物圈？

未来和你

2015 年 11 月至 12 月，全球成千上万人共同游行，支持减少二氧化碳排放。年轻人举着各式牌子，上面写着：“地球是人类的家园，需要你我共同守护”和“只有一个地球”。（世界上大部分国家共同在巴黎正式签字批准逐步——但也要尽可能快——结束化石燃料的使用这一历史性协议。）

在人类历史的独特时刻，你正好活着且正年轻。（当然，人类历史的每一刻都是独特而且没有先例的。）如今许多前沿领域正以前所未有的速度发生着变化。其结果就是，事物充满不确定性，但又有无限可能。你会，或者说你被迫，开始一种全新的生活方式，与以往你所经历过的所有情况都大不相同。你的回应也许是冷漠、

德雷克方程

我们在第 6 章提到，许多天体物理学家和宇宙生物学家都相信宇宙中还有一些地方存在某种类型的生命。当然，细菌和有意识的智能生物之间差异巨大。20 世纪最后的几十年里，一些科学家开始认真考虑如何寻找地球外的智能生物。

与其他地方的智能生物跨越空间进行交流的最有效方法是什么？一些天体物理学家认为是通过无线电波的微波频段。他们在微波中寻找任何可能表示有意发出的宇宙无线电信号的异常模式。

我们找到其他智能生物的概率怎样？1961 年，12 位科学家和工程师在西弗吉尼亚的格林班克会面，共同探讨了这一问题。为探讨这一问题，弗兰克·德雷克（见第 6 章）设计了一个数学方程，现在又叫作“德雷克方程”（the Drake Equation）。

他们在格林班克开完会后，德雷克和他的同事推测银河系中可能有一万个有智能的文明。许多科学家认为这种预测只是一厢情愿的猜测。但是一位哈佛教授——卡尔·萨根——却通过书籍、电影和电视让大众了解了这样的预测。

德雷克方程中的最后一个因子是：这些可沟通的文明的平均寿命是多少？在地球上，人类发送微波无线电的历史也不过 100 年而已。这还引发了另一个问题：科技先进的文明会倾向于迅速地导致自身灭亡吗？

美国罗切斯特大学的天体物理学教授亚当·弗兰克（Adam Frank）就在研究这个问题。弗兰克认为，根据物理学定律，也许所有的科技文明都会在开发必要能量的过程中遇到可持续性的瓶颈。也许任何想通过获取额外能量而让科技迅速发展的物种，都必然会改变大气和行星系统原有的化学组成成分。也许有的文明成功了，也许从来没有任何文明成功。

此外，埃里克·蔡森认为宇宙中所有存活的先进生命都可能从其母星获取能量。他还认为只有太阳能可以在不破坏环境的基础上，推动人类文明向前发展。针对此类问题的相关研究仍在继续，敬请关注。

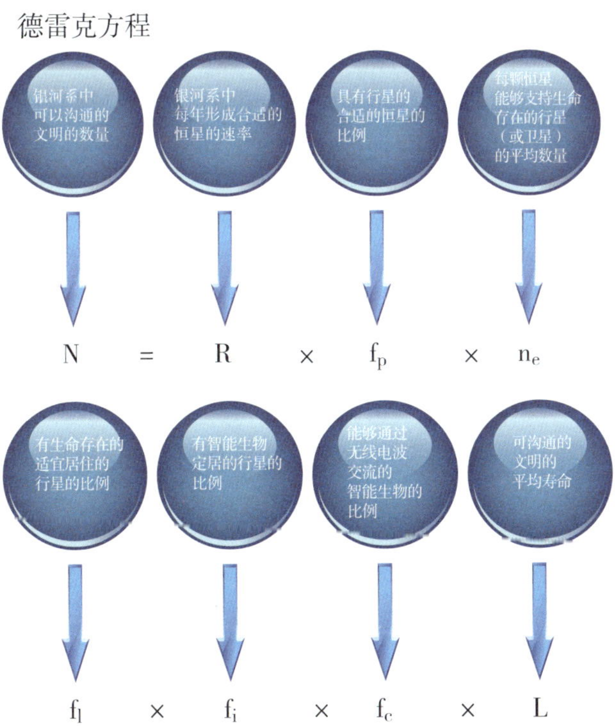

德雷克方程

你觉得德雷克方程中每个因子的合理预测值是多少？你算出来在银河系中有多少个可以进行沟通的文明？

绝望、苟安作乐，或是聚精会神、全心全意地投入其中。新事物在不断产生，你可以顺应潮流。

你可以决定生活在哪里，也可以预测气候变化对当地的影响，进而决定自己该如何应对。你可以选择大半辈子都住在公寓里，或是自己买一间大房子。你是骑车旅行还是开车？你会不会主动拥抱简朴的生活，让自己的生活尽可能的简单，住在比自己孩童时居住的房子更小的空间里？你会自己种植一部分粮食吗？你想养育几个孩子？

你会做出工作和职业决定。对于即将到来的能量转换，你是会抵制，还是让它朝着你希望的方向发展？变化会影响到每一份工作。你会如何确定自己的位置？

收入水平和消费品会决定你的生活水平吗？或者说，如果你的生活达到了小康水平，你还会继续寻找友情、美好、想法、亲密感、音乐、戏剧和家庭关系等诸如此类的可再生资源吗？你会为减少气候变化、支持可持续发展此类的公众政策投票或参加支持活动吗？

你觉得在不久的将来，人类会何去何从？你觉得自己会如何适应这种变化？

继续探索

初级

Fleischman, Paul.（2014）. *Eyes wide open: Going behind the environmental headlines*. Somerville, MA：Candlewick Press. [Ages 14 and up].

www.bighistoryproject.com.

中级

Brockman, John, Ed.（2014）. *What should we be worried about? Real scenarios that keep scientists up at night*. New York：Harper Perennial.

Brown, Lester, with Larsen, Janet；Roney, J. Matthew；and Adams, Emily E.（2015）. *The great transition: Shifting from fossil fuels to solar and wind energy*. New York：W. W. Norton.

高级

Ackerman, Diane.（2015）. *The human age: The world shaped by us*. New York：W. W. Norton.

Impey, Chris.（2015）. *Beyond: Our future in space*. New York：W. W. Norton.

Silver, Lee M. *Remaking Eden: Cloning and beyond in a brave new world*.（1997）. Republished in 2007 as *Remaking Eden: How Genetic Engineering and Cloning Will Transform the American Family*. New York：Harper Collins.

网址

http: //www.ucsusa.org　忧思科学家联盟是一个科学倡议团体，致力于研究科学，帮助解决地球面临的最严重的问题。

www.npr.org/sections/137　国家公共电台（NPR）广播了这篇文章：《宇宙和文化：对科学和社会的评论》（*Cosmos and Culture: Commentary on Science and Society*）。

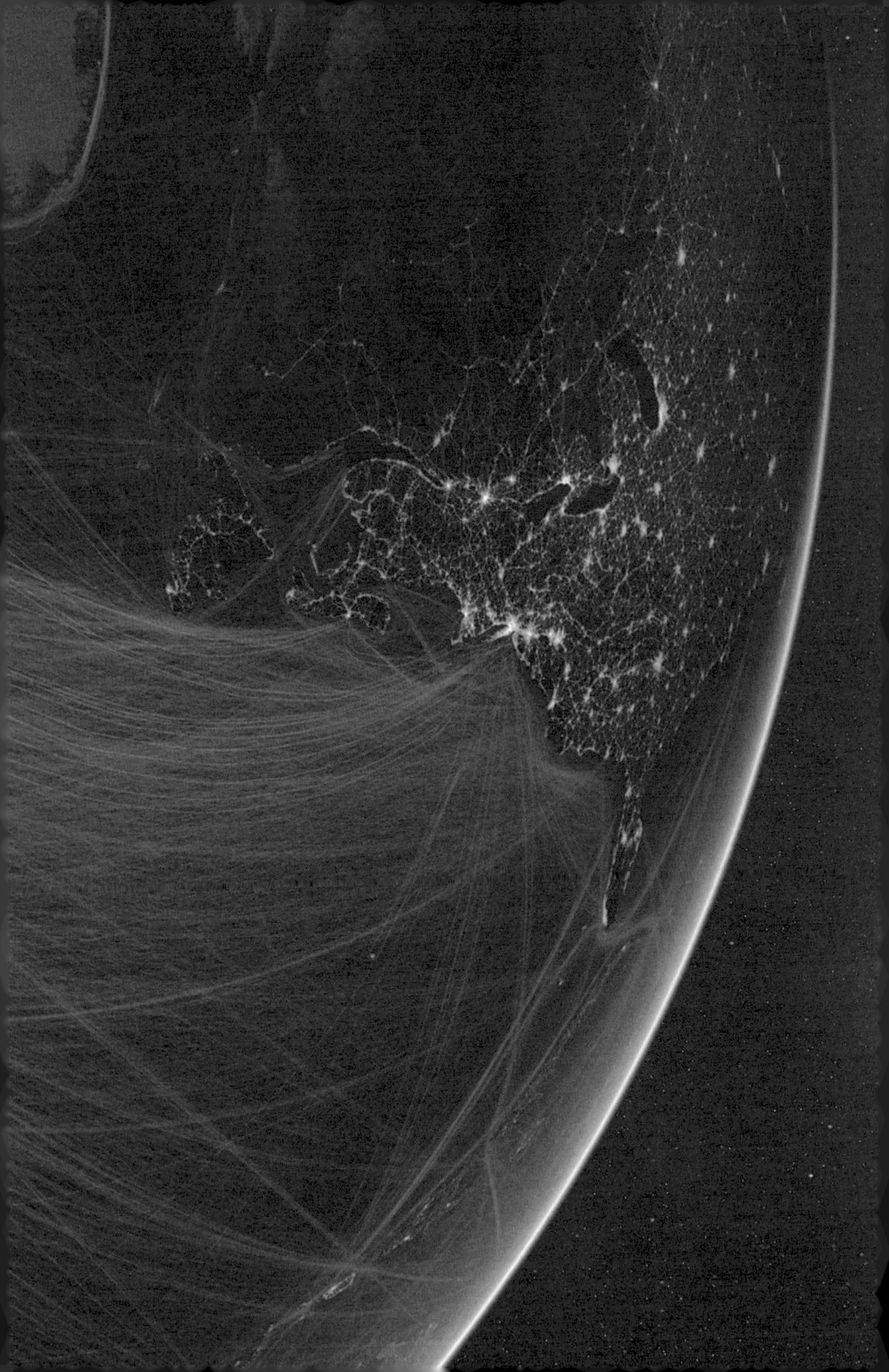

12

The Meaning of It All

第 12 章

所有这一切的意义

人类是讲故事的生物。我们通过创造有开头和结尾的故事，来帮助我们理解复杂的生活。大历史阐述了从宇宙大爆炸开始的人类起源历程。大历史的故事，对你和其他人来说意味着什么？

大历史阐述了从宇宙化学元素出发的人类起源历程。这与大多数传统的起源故事大不相同。我们正处在将这个新故事同化吸收、融入旧故事的转化阶段。随着人们不断接受世界上的快速变化，他们也在调整自身最深切的信仰和信念。其结果就是多样化的阐释，每个人都有机会把有意义的事情综合到一起。

作为研究方法的大历史

从定义上讲，大历史是基于实证经验的，这是学习研究物理世界（或称“物质世界”或“自然世界”，即客观现实）中可观察到的事情的方法。恰如第 1 章中所描述的，实证依靠的是实验、观察、经验和细致的学术解释。

一些大历史学家认为大历史只是一种专门研究自然世界，以及可以被经验性地观察到的方法。在经验所能探查的事物之外，是否还存在着某些事物，这是不可知、亦无法证明的。因此，说大历史的内容是涉及终极现实的本质，是不恰当的。大部分自然科学家在如何看待现实这个问题上都同意这一立场。

大历史学家中认同这一观点的最聪明的代表便是弗莱德·斯

皮尔（见第1章）。他认为大历史不是一种包罗万象的世界观或现实观，而仅仅是一种基于实证经验和细致的学术解释的学术工作。它可以勾勒未来和现在的途径，却无法说出目的地应该怎样。那应该是个人或集体的选择。斯皮尔认为将大历史和个人世界观融合是一种个人选择，但不应该成为大历史学术研究的一部分。他想让大历史的学术介绍尽可能摆脱个人或集体世界观的因素。

大历史和超自然

很多人都相信在纯粹的物理 / 物质 / 自然世界之外还存在着另一个领域，即超自然或超验领域，有时又可以叫形而上学或“超物理”。因为大历史故事不适用于这一领域，这一群体中的人们就想把大历史故事视为一种基础，把超自然 / 超验领域的内容加在它上面。

某个超自然表述可能源于任何一个传统的起源故事，例如，罗马天主教会将科学发现视为上帝发挥作用的描述，由此理顺了科学和宗教内容的关系；佛教徒和儒家弟子都在寻找各自的传统和大历史的相同点，也在寻找将两者结合起来的方法。

另有一些人认为大历史故事与超自然或超验领域无关。但是，他们将宇宙本身看作是积极、有创造性和有目的性的——从传统意义上讲，这些属性通常是属于超自然的神灵或上帝的。他们将大历史与他们所谓的世界的“智慧传统”相联系，但不会把任何特定的传统起源故事视为大历史基础的上层地面。

支持此类想法的最具代表性的是书籍与电影《宇宙之旅》（*Journey of the Universe*），作者是布莱恩·托马斯·斯温（Brian Thomas Swimme）

《宇宙之旅》

《宇宙之旅》是一部流行电影，讲述的是宇宙和地球上的生命的故事。这部电影是在希腊海岸附近的萨摩斯岛上拍摄的，制作人选择这个地方，一是因为数学家毕达哥拉斯（Pythagoras，公元前570—前495年）生于此地，二是因为这里是欧洲和亚洲的连接点。

在这部电影中，布莱恩·托马斯·斯温使用当地的景色作为故事舞台背景，讲述了这个萨摩斯的故事。例如，他用露天市场购买的蔬菜来表示太阳系，用卷心菜代表太阳。电影中的一些奇妙的场景让人过目难忘，尤其是跳求偶舞的鸟儿，以及年幼的哺乳动物嬉戏玩耍的场景。

布莱恩·斯温是旧金山加利福尼亚科学学院的一位教授，魅力十足。他是一位进化论哲学家，1978年时，他从俄勒冈大学获得了数学博士学位。偶遇文化历史学家托马斯·贝里之后，他又开始研究哲学，托马斯告诉他："对于宇宙，你们这些科学家总是有很多新奇故事，但你们却不懂宇宙的音乐。要讲述宇宙的故事，但要带着对宇宙的音乐美的感受来讲。"

和斯温一起合作拍摄电影、写作同系列书籍的是玛丽·埃弗林·塔克，她在康涅狄格州纽黑文的耶鲁大学指导着一项世界宗教和生态的硕士项目。塔克从哥伦比亚大学获得了日本儒家思想博士学位，她还是一位研究亚洲宗教的专家。两位天主教神父——古生物学者皮埃尔·泰亚尔·德·夏尔丹（Pierre Teilhard de Chardin，1881—1955）和托马斯·贝里（Thomas Berry，1914—2009）——的生活和想法对斯温和她产生了巨大影响。为了传播泰亚尔和贝里的观点并拍摄电影，两位制作人共同工作了 30 多年。

当你观看这部电影的时候，你可以多考虑一下旅途的隐喻含义。人类所讲述的故事中，一个最常碰到的主题就是英雄的历程。在这类故事中，英雄会经历种种磨砺，发生改变，之后他会带回某种宝藏，能够改变族群、部落或者是他所属的文明。约瑟夫・坎贝尔（Joseph Campell）在他的作品《千面英雄》（*The Hero with a Thousand Faces*）中塑造了一个这样的英雄形象。（见 www.thewritersjourney. com/hero's_journey.htm）

《宇宙之旅》这本书从宇宙大爆炸开始讲起，描述了宇宙的历史进程。对科学发现的细致描述是书中故事的基础。它的主人公的特点是创造性——宇宙不断产生新事物，而且看起来似乎是有意的。该电影敦促人类要像宇宙一样富有创造性，找到让人们在稳定的地球可持续生活的方式。

在《宇宙之旅》的网站上，斯温和塔克在"作者的话"中写道，他们的目标是"用一种与读者息息相关且能感动他们的方式讲述这个故事"。他们继续说道："我们人类这种物种，在语言和符号中发现了掌握进化演变过程的力量……在我们现在所生活的这个时代，人类在激发地球生命系统的繁荣力量中起主要作用。"（www.journeyoftheuniverse.org/ writers-statement）

和玛丽・埃弗林・塔克（Mary Evelyn Tucker）。这部电影吸引了不同背景的人观看，它呼吁人们颂扬、保护我们的地球以及构建可持续性未来。

大历史和自然

有些人，甚至包括我自己，会把大历史仅仅当作一种方法，或是把它看作是对所有现实事物的描述或映射。尽管是不可证实的，但我们仍然相信世间没有超自然领域或超验领域。我们认为自然即现在所有的现实，而且自然看上去没有目的。

如果自然真是现存的一切事物，那么意义、价值和道德这些源于何处？在大多数传统故事中，这些东西源于宗教或超自然信仰。如果这些信仰不再有感召力，那意义、价值和道德该归于何处？

大历史故事用自己的证据有力地证明了人类是如何创造意义、价值和道德的。大卫·克里斯蒂安（见第 1 章）已经在一篇名为《从映射到意义》（*From Mapping to Meaning*）的文章里，给出了他对这个问题的答案。弗莱德·斯皮尔也在他 2015 年的著作中，从大历史的角度讨论了道德。接下来要写的便是他们的观点与我的观点相结合之后的结果。

克里斯蒂安观察到诸如关爱这类的东西是建立在每个生物体（不仅仅是大象、狗和黑猩猩这类与人类十分相似的生物体）的本质上的。每个生物体都需要在不稳定且挑战众多的环境中生存下来。生物体必须不断适应变化的环境，保持自己的稳定。科学家称之为“稳态”。

为了正确地做出调整，生物体必须搜集周边环境的相关信息，进而让自己做出适当的反应。如果生物体对信息的映射是准确的，那么生物体就可以做出正确反应，进而生存发展下来。如果映射是错误的，生物体就会做出错误反应，之后便会死亡。因此，生物体十分在意它们的信息映射的正确性。从生物学角度来讲，它们的目的是生存、享受生活和繁殖，因为没有此类目的的生物无法将它们的基因传递给下一代。

正如进化论所说，生物体会变得越来越复杂，而且它们的行为和搜集信息的能力也会变得更复杂。至少在哺乳动物中，动物父母会在抚育幼崽上投入大量关爱。自然选择强化了这种行为——得到父母良好照顾的幼崽存活下来，并让这种行为特点得到了延续。

人们对有些哺乳动物进行了充分的研究，得出的结论是它们能够展示出和人类有点相似的类似道德的行为。这些哺乳动物包括大猩猩、某类猴子、狼、草原狼、鬣狗、海豚、鲸鱼、大象、大鼠和小鼠。例如，如果要手段骗取食物会让同窝的伙伴吓一跳，就算是饿坏了的大鼠也不会耍这种手段。海豚经常展示出它们的友善和慷慨。

人类身边有几类哺乳动物的大脑相对身体来说所占比例较大，这些动物包括大象、虎鲸、宽吻海豚和狼。这些物种创造了由十分聪明、合群且具有同情心的个体构成的社会，群体内部有复杂的交流系统。在宇宙中，我们可能是孤独的，但是在地球上，我们并不孤独，只不过我们具有积累知识和将关爱扩展到整个地球的能力——这是某些人类成员所具有的特点。

我们的近亲——黑猩猩和倭黑猩猩，也能时常展现出关爱和相互帮助的特点。雌性动物能抚养后代并与后代建立终生的情感联系。如果母亲去世，同族年长的动物会收养幼崽。在动物园里，如果黑猩猩掉进圈养地周围的河沟里，其他黑猩猩会立刻冲过去营救它，哪怕它们都不会游泳。

由于人类的脑容量较大，因此人类将关系映射、意义和关爱带到了一个新水平上。各地的人们看上去似乎都有相似的核心价值观，如公平、关爱和互惠互利——这些都是进化史铭刻在我们身上的。我们是群居动物，但同时，我们也是高度独立的个体。人类看似恰好位于“社交—孤立”统一体的中心。我们既好斗、富于攻击性，也会相互合作和关爱彼此。

社会中的人类，从我们核心的、固有的价值观出发，创造了大量的价值 / 道德体系来适应周围的环境。随着时间变化，这些道德体系会适应不断变化的环境，我们会仔细地认识这样的体系，因为我们的社会生活和个人生活都是以此为基础的。

求知欲——我们用这个词来描述我们认识周围环境的欲望，它能促使科学家为我们的信息地图持续地做着贡献。对他人和地球的关爱也同样驱使着科学家们，因为他们的调查研究能对世界产生影响。尽管许多科学家都远离政治和宣传，以免影响自己的科学发现的公正性，但仍有些人负责为现在地球上 74 亿的人口提供吃穿，并进行组织安排。想要了解科学家们承担的责任，见忧思科学家联盟网站：http: //www.ucsusa.org。

人类的伦理体系是群体性的。我们根据自己对周围环境设计、调整得最准确的映射图建立了这些伦理体系。随着时间的推移，由于周围环境和我们的映射图不断变化，我们会不断地对道德体系加以修订。人类之外并不存在“真实的”或“客观的”伦理价值观——人类是在尽全力求生存的过程中（不论是个体还是群体），构建了这些价值观。过去，我们的体系帮助我们生存了下来，但是随着环境的快速变化，这些体系必须加以修订。这就是大历史故事，它完全基于经验证据，这个故事似乎暗示了我们最基本的道德观念源于何处。

现在，让我们把注意力从经验证据转移到个人的阐释上，对于人类其他的问题，大历史故事又会给出怎样的答案呢？这里列出了一些这样的问题。对每个问题，你可以试着写下一小段你认为是从大历史故事中推理出的答案。然后我会告诉大家我的答案。

什么创造了人类？我们是谁？我们来此的目的是什么？宗教源于何处？我们会到哪儿去？

什么创造了人类？大历史告诉我们，人类是宇宙的一部分，而宇宙是由能量和物质构成的。“我们是随着宇宙大爆炸出现的一体的一部分。”这是一位印度瑜伽大师B.K.S.艾扬格（B. K. S. Iyengar，1918—2014）的话。通过自然选择，人类从宇宙演变的进程中逐渐发展起来，这不是宇宙的本意，而是机会和物理过程共同作用的结果。恒星内部形成了化学物质，而恒星的死亡爆炸创造了人类。我们出现在一个绕着一颗普普通通的恒星运转，且跟它的距离刚刚好的行星上。尽管可能性非常小，但我们真真切切就在这里。这件事足以让所有人感到惊奇。

我们是谁？我们是与大猩猩血缘相近的哺乳动物。在我们的祖先来到地面上生活并学会直立行走之前，我们一直生活在树上。人类是新生物种，迄今总共只有20万年的历史。500万年前，三个拥有共同祖先的物种生存了下来，人类是其中之一，另外两种是猩猩类。我们只是生命大树上的一个细小分支。

但是从我们对居住的地球家园的影响来看，我们又与众不同。除了人类，没有其他大型生物能够定居在南极洲以外的其他角落，也没有什么生物能像人类那样对生物圈产生同等的影响。

什么使我们与众不同？所有证据都表明，人类的大脑是让人类与众不同的原因。大脑赋予我们准确、象征性地表达的能力。这就意味着我们能够共同积累信息，并将信息精确地传递给下一代（群体学习）；这也意味着由于我们能够分享想法和信息，我们对环境映射形成图景的能力也会随着时间的推移而更加精确，这就赋予了人类自然界中其他生物所不具备的重要力量。

我们来此的目的是什么？人类基本的、内在的默认动力似乎是生存和繁殖，在这一点上，我们十分成功，因此人口数量一直在增长，或者说已经达到了地球能够承载的最大人口数量。在不久的将来，我们必须控制我们内在的繁殖动力，用其他动力取代。

这些替代物会是什么？要想生存，我们必须通过全球合作来保护自身和地球。鉴于人类固有的保护领土和至亲，以及争夺权力的趋向，对人类来说，合作较为困难。人类充满了矛盾对立的情感，但我们必须明确应该做什么。我们的命运掌握在自己手中。

什么能够促进人类的全球合作？也许我们的自身利益和快速调整的能力能促进我们做出反应。人类大脑中的理性部分也许可以超越本能部分，我们可以依赖这一点。人类的脑容量较大，现在是所有人充分利用大脑的时候了。我们正处在一个历史性的时刻，我们的集体责任是在不打破人类生存的生物圈的平衡的前提下，保护现代文化中最优秀的部分。

在全球快速变化的转型期背景下，每个人在考虑自己的角色和任务时都需要更加谨慎。家庭和文化只是赋予我们个体角色的一部分；在某种程度上，我们能够自己来构建这些角色。从集体角度来讲，在这一历史时刻，我们共同的任务便是尽力找到能够限制人类对地球产生的影响的方法。

宗教源于何处？宗教是个难以理解的词汇，因为它可以指很多不同的东西。我这里所说的宗教指的是能说明什么可以真实存在、什么又具有重要意义的故事和传统。这些故事和传统能帮助我们构建个体完整性和社会团结。

人类是讲故事的生物。我们通过创造有开头、中间和结尾的故事来帮助我们理解复杂的生活。自从人类有了这一能力，便一直在讲述各种各样的故事。所有的人类社会都创造出了关于人类起源和人类应如何行事的起源故事。

至少智人出现的时候，人类已经有能力想象出其他成员是如何思考的了。很显然，人类用这种能力想象到其他动物和自然现象也有自己的意识和感觉。据说萨满比普通人更容易进入昏睡状态，能够从其他强大的生物那里寻求帮助。也许早期人类将经历的一切事物都认为是有生命的，而我们对此只有一些朦胧的想法。

随着人类开始定居，形成村落，开展农耕，人类故事也发生了变化。人类幻想出一些有力量的生物，它们从尘世隐匿，进入到不可见的神灵世界。他们相信这些生灵或神的行为与人类大致相似，其中某些神灵会比另一些更有力量。人们也开始依靠选出来的代表或神职人员来主持仪式，迎接不可见的神灵。

随着早期城市和国家的出现，强有力的精英统治者出现了。大部分统治者都宣称，因为自己的权力是神灵或上帝赋予的，所以其权力是合法的。也有统治者甚至说自己就是神，这类统治者通常需要神职人员的支持，而这些人大多是统治者的亲友。

现在，我们世界中的许多主要宗教均是文明扩张时期产生的。在陌生人较多、人口较密集的大城市里，人们会修订道德规范来强调合作与对他人的关爱。

化石燃料的使用始于 18 世纪晚期，给许多社会都带来了财富。人们开始调整道德规范，更强调个人与个体幸福，以此作为回应。人民的力量开始扩大，大到可以罢黜君主、选举领导人；选举产生的领导人的权力是因选举而合法化的，而不是神灵赋予的。随着科学家们对宇宙和地球的本质的研究逐步深入，人类所映射形成的图景也越来越精确，人们对上帝或神灵的需求开始减弱。

但是几千年来传承下来的起源故事仍然能给世界上许多人带来慰藉和希望。以下数据是 2012 年全世界宗教信仰所占比例：

基督教	31.5%
伊斯兰教	23.2%
无信仰者	16.8%
印度教	15%
佛教	7.1%
民间宗教	5.9%
犹太教	0.2%

我们会到哪儿去？我们说不清楚。我们只知道自己处于一个快速变化的时代，同时我们还面临着化石燃料燃烧所带来的对地球的破坏。地球上的人类正面临着危机。从狩猎采集到农业的转变，从工业革命到现代化的转变，与前两者相比，现在的我们似乎又到了另一个临界点。

人类进化已不再是一个简单的生物学问题。我们的文化变得十分强劲，现在的文化演变已经凌驾于生物进化之上了。人类的所作所为很有可能对未来产生的事物具有决定性作用。

在遥远的未来，智人必定会逐渐进化，最终灭亡。这就是地球上的生命模式。最终，地球上将不再有适合生命存在的环境，所有的生物都会灭绝。最终，太阳也会爆炸。宇宙会继续存在，一直到我们所能想到的很远的未来，但宇宙会变得更加寒冷、黑暗和简单。幸运的是，我们现在所处的时期仍然是宇宙的春天，还有比这更棒的吗?

知识前沿的疑问

这里提出了几个值得思考的问题。你也可以在列表里加上你的问题，这样你就再也不会无聊了，因为你在排队的时候，就可以思考一下其中的几个问题。

- 大历史故事是根据宇宙中某些地方的复杂性的增加来组织编排的，我们如何才能更精确地测量这种逐步增加的复杂性?这种模式会持续多久?随着复杂性的增加，伴随而来的，会不会是脆弱性的增加?或者说，宇宙会更容易分崩离析?
- 传统宗教会复兴还是会衰败？世界上会产生新的与大历史故事更加适应的宗教吗?
- 人类能够制定出让世界上 74 亿人中绝大部分的人都接受并且能保证未来可持续发展的道德准则和指南吗?

- 如果人们不相信道德准则和价值观比人类行为更加客观真实，那么这些准则和价值观还能鼓励人们的行为吗？
- 如果人类不相信更强大的力量（上帝或宇宙或其他事物）是与自己站在同一战线的，那人类还能正常行为处事吗？
- 从感觉自己高于自然到意识到自己是自然的一部分，这种态度的转变能让人类产生保护周围环境和子孙未来的欲望吗？

意义与你

大历史能让我们沉迷其中，也能让我们在理智上觉得愉悦，这是因为它提出了人类所能提出的最有力、最深刻的问题。它向大家介绍了一些人类一生都可能在追求的问题，在这个过程中，你的想法和答案可能会一直变化。在你探索生命的时候，它能为你提供一张不断改进的路线图。它可以改变你看待万事万物的方式。

对于现实的映射图，我们所赋予的意义既是个人的，亦是集体的。我们在内心考虑这种映射图，得出让自己满意的答案。而我们也会在和家人、朋友、老师、导师的谈话中进行思考，同时也在对本地、国家乃至世界事件做出反应的时候进行思考。除此之外，我们还会对书籍、电影、录像、社会网络和谷歌搜索引擎做出反应。我们生活在一个充溢着数据和观念的年代，我们需要据此构建自己的意义。

大历史教师对历史故事感动学生并影响学生思考的力量颇为惊奇。教授大历史比进行其他所有的教学活动更令人兴奋，因为它能够感动许多学生，还能深刻地影响他们。

要想搞明白大历史对你来说意味着什么，你可以写下在学习大历史过程中，你认为令人兴奋、惊奇、鼓舞人心、激发思考、扩宽眼界、震撼世界、惊异、烦恼、震惊、极具争议性、荒诞无稽或是值得铭记之处。

凯尔·赫曼（Kyle Herman）是印第安纳新奥尔巴尼的一位高中教师，他在自己的课堂上就布置了这么一项任务——“地球和空间的大历史”。他发现“大历史的意义在于它能够帮助学生再次找到学习的意义”。对此，他的大部分学生都表现出与日俱增的洞察力、感激和惊讶。下面是一些学生的反馈：

- “我从未意识到我竟然错过了这么多闻所未闻的事……以前，我对科学或与科学相关的课题都没什么兴趣，但是现在，地球和空间是我最喜欢的课程之一。”
- “宇宙广袤无边，而且宇宙中还有很多故事等待着我们发掘。它深深震撼了我，激发起我学习更多知识的渴望。”
- “没有恒星，人类就不会存在；如果我们离太阳稍近一点或是稍远一点，那一切又会大不相同；如果我们恰巧存在于太阳生命走向尽头的时刻，人类就会消失！从另一个角度看历史，我才明白自己应该对这种存在心怀感激。”
- “我不太懂得欣赏自己，我也没觉得这有什么可伤感的，但是我知道，在某种方式上来说，我是由恒星的某些部分组成的，这让我觉得自己很重要。”

印第安纳新奥尔巴尼的大历史课堂

这门课程是蒙台梭利社区活动的一部分，该社区是按照玛利亚·蒙台梭利（Maria Montessori）的传统创办的一所私人学校。这门课程是受蒙台梭利的宇宙教育哲学和大历史的启发而开设的。凯尔·赫曼老师此刻正躺在地板上。

现在到了你搞清楚自己的想法并付诸行动的时候了。大历史故事对你来说意味着什么？对此你还有什么问题？如果你是个年轻人，你就有大把的时间来做这件事。我希望大历史故事能对你有所帮助，你也能享受这段感受宇宙、与持不同观点的人对话的美好时光。当然，我还希望你能好好利用一下自己的大脑。

一位大历史学家是如何建构意义的？

我在肯塔基州西部一个叫麦迪逊维尔的小镇上长大。小镇上的人几乎都是新教徒。这里只有一户犹太人和几个天主教徒，人数不够组建教会。

我的父母亲都是威斯康星州南部的北方人，也是这个小镇上的外来者。我的父亲是一位土木工程师，他到南方修建公路，最终挣钱开了座煤矿，然后又开了座石灰石采矿场。母亲是中学生物老师，她可能是镇子上唯一一个理解并相信达尔文进化论的人。

我和我的父母一样，都积极地参加卫理公会。当我还是个青少年的时候，我就强烈地感受到了教堂所推崇的兄弟情义之类的教条与教堂对当地种族政策的默许之间的矛盾。

当我到北卡罗来纳州达勒姆的杜克大学求学时，我仍然积极地参加卫理公会举办的学生活动。我帮助组织了杜克大学学生参加的静坐罢工午餐，这是南方进行的第二次此类罢工活动，目的是要求人们为非裔美籍顾客提供服务。当我搬到马里兰的巴尔的摩读研究生的时候，我就不去教堂了，因为整座城市里没有任何一个教堂会接纳不同的种族。我从未有过信仰危机，也许是因为我的世界观是自然的，而不是超自然的，这跟我母亲的观点相一致。（她在主日学校教授世界宗教，这在当时的南方小城镇里基本是闻所未闻的。）

大学期间，我主修历史，因为我觉得历史似乎囊括万事万物。大学毕业后，我又取得了教育学硕士学位，1961 年，我开始在巴尔的摩的高中学校教授世界历史。我继续学习，获得了教育史学博士学位。之后，我用了 16 年时间来陪伴我的两个儿子成长，开始是在巴西北部，那时我是一位维和部队医生的妻子，后来我们到了加利福尼亚的伯克利。

我回到了加利福尼亚多米尼加大学教育学院教书，学生主要是将来要当中学教师的人。我一直都在读世界史学会出版的《世界历史期刊》，以此来了解世界史。当时，世界史是历史的新兴分支学科，正逐渐取代二战之后流行起来的西方文明史课程。

我家住在加利福尼亚海湾，这种地理优势让我有机会了解背景各不相同的人，自由地探索他们的想法和信仰。周末早上我会去跑步，在教育两个儿子的时候，我没有给他们任何与宗教相关的指导，因为我相信他们会继承父母的伦理取向。

1991 年，我 53 岁，那时我读了大卫·克里斯蒂安发表在《世界历史期刊》（见第 1 章）上的文章，由此了解了大历史这一术语及其观点。我自己也写了一本大历史主题的书——《大历史：从宇宙大爆炸至今》，由此得到了与大卫·克里斯蒂安和克雷格·本杰明共同写作第一本大学大历史课程使用的课本《大历史：虚无与万物之间》的机会。

2010 年，我所在的大学为大一学生开设了大历史课程，之后，我找到了一些哲学和宗教学的同事，他们帮我学习了这些领域的相关词汇和观念。我尝试给自己一个标签，最终我选择了“自然学家”这个身份，这意味着我不相信任何超自然的存在，但是对于自然，确实还有很多我们目前尚未理解的事物。

大家看到，我在搞明白自己的想法和信仰的路上花了不少时间，而且，当然，现在的我仍在探索。这种探索追求是我做过的最有趣的事。学习大历史让我得到了巨大的欣慰感和满足感，这些都是其他起源故事无法带给我的。

以下就是大历史所赋予我的：

- 大历史绘制了一幅囊括过去和现在的地图，它让我明白了人类处于历史上的哪个阶段，懂得了人类要想生存下来需要做什么。我们处于伟大转变的时代，是在历史的一个临界点上。我们需要管理好能量流，防止破坏气候平衡。我们需要实现农业可持续化，保护地球系统，限制人口数量。这就是我——作为人类社会的一个成员——从大历史中获取的最重大的意义。
- 大历史让我了解了人类现在所掌握的所有知识的框架；让我能快速地学习新事物、理解新发现。这些新知识总是能放入我的知识框架内。我决不想停止对新知识的学习。
- 大历史让我接触到一个群体，这些人和我一样了解相同的故事，能和我讨论我的问题。
- 大历史激发了我深切的感激之情，既有对生存的感激，也有对千百年来那些为了解宇宙、地球、生命和人类的人所做出的巨大贡献的感激。当然还有对那些把现代科学起源故事集合在一起的人的感激，这些人有普雷斯顿·克洛德、埃里克·蔡森、琳恩·马古利斯、厄休拉·古迪纳夫、约翰·米尔斯、大卫·克里斯蒂安和弗莱德·斯皮尔。

- 大历史让我有了一体观，知道了宇宙起源于138.2亿年前的那个奇点，也让我们明白无误地了解到，人类的一体性源自非洲。大历史让我明白我的一体性与地球的关系，每天我都觉得自己能体会到花园里蠕虫的感受，领会树上的果实的感受，明白庭院上方翱翔在天际的雄鹰的感受。在大历史的帮助下，这种一体性的感受随着我的想象力不断扩大，我感受到自己与地球、恒星、星系和黑洞的联系愈加密切。我的生命也愈加宽广，再也不会感到孤独。我和世界上的演变过程息息相关。
- 大历史让我明白我所存在的时期是宇宙的春天。在这个特殊的时期，地球上的复杂生命遇到了“金发女孩效应”，其他的星球上可能也存在这种情况。这种情况不会一直持续下去，此时此刻无比特殊。我享受阳光下的日子。

我不需要超自然宗教，这可能是因为，我的生活本就满是幸运和福分。对我来说，自然已经足够。自然世界便是我的崇拜之所。我的道德标准源于自然、父母、家庭、经历和大历史观。

最后引用多明尼克大学的学生们的话：“加油吧，大历史！”

继续探索

初级

http: //www.resilience.org/stories/2015-06-22/turning-21-in-the-anthropocene. 内特·哈根的一篇题为《在人类世时代迎接 21 岁：邀请年青一代共同参与未来》(*Turning 21 in the Anthropocene: An invitation for young people to participate in their future*)的演讲，这次演讲是在威斯康星大学斯蒂芬角分校举办的。你也可以在以下网站找到这篇演讲：www.youtube.com/watch?v=_hNi-7EjsH4。

中级

Swimme，Brian Thomas，and Tucker，Mary Evelyn.（2011）. *Journey of the universe*. New Haven，CT：Yale University Press.

Fred Spier.（2015）. *Big history and the future of humanity*（2c ed.）. Malden，MA：Wiley-Blackwell.

高级

Christian，David.（2015）. *Mapping to meaning*. In R. Alan Culpepper and Jan G. Van der Watt（eds.），*Creation stories in dialogue: The Bible，science，and folk traditions*（35–47） Leiden，The Netherlands：Brill.

Rue，Loyal.（2011）. *Nature is enough: Religious naturalism and the meaning of life*. Albany：State University of New York Press.

Satina，Carl.（2015）. *Beyond words: What animals think and feel*. New York：Henry Holt.

Zuckerman，Phil.（2014）. *Living the Secular Life: New answers to old questions*. New York：Penguin.

电影

《宇宙之旅》(*Journey of the universe*)，你可以在下列网上商店中找到这部电影：http: //journeyoftheuniverse .org/buy

致谢

母亲葬礼后归来不久，我就开始写这本大历史了。我能够思考如此大的尺度，得益于母亲给我打下的基础，她还是我的榜样，教给我如何做一位善于启发学生思考的老师。我永远感激她。

随着我的想法不断成熟，我有机会与大卫·克里斯蒂安和克雷格·本杰明一道编写大历史的第一本大学教材，这让我对二位心怀感激。一开始我们只是朋友，后来成了更亲密的朋友——人们共同编写教材，并不一定会有这样的结果。

我想感谢国际大历史协会热心而慷慨的创始伙伴，从他们身上我学到了很多。除了克里斯蒂安和本杰明，我还要感谢沃尔特·阿尔瓦雷斯（Walter Alvarez）、洛威尔·古斯塔夫森（Lowell Gustafson）、巴里·罗德里格（Barry Rodrigue）和弗雷德·斯皮尔。我还要感谢埃斯特·奎戴克（Esther Quaedackers）、孙岳、乔·弗洛斯（Joe Voros）、约翰森·马克里（Jonathan Markley）和刚刚加入 IBHA 董事会的安德里·科罗塔耶夫（Andrey Korotaev）。

我对加利福尼亚多明尼克大学的全体教员、学生和管理人员表示深切的感谢。2010 年之初，多明尼克的全体教员投票通过，要求给每位新生开设两门大历史课程。选择参与的教员富于创造力，开设的课程参与人数达到了很高的比例。对于那些深深影响我思想的人，我表示特别的感谢：莫干·贝曼德、丹·梅（Dan

May）、菲尔·诺瓦克（Phil Novak）、哈伦·施特尔马赫（Harlan Stelmach）和吉姆·坎宁安（Jim Cunningham）。

我还想感谢那些发起大历史项目的人。对我来说，这是课程建设中的一大成就。大卫·克里斯蒂安提供了总的方向指导，能够为其写些小文章，与像迈克尔·迪克斯（Michael Dix）、格雷格·埃莫罗菲尔（Greg Amrofell）、安迪·库克（Andy Cook）和鲍勃·贝恩（Bob Bain）等那么棒的人一起工作，带给我很多快乐。

我特别要感谢在本书的多次修订过程中阅读我撰写的内容或部分文字的人们。弗雷德·斯皮尔仔细阅读了整本书，并给出了反馈。露西·拉菲特（Lucy Laffitte）在整个过程中也提供了帮助。下面的朋友和专家，针对不同的篇章给出了很好的建议：沃尔特·阿尔瓦雷斯、马丁·安德森（Martin Anderson）、安妮·博福特（Anne Beaufort）、克雷格·本杰明、弗兰·贝里（Fran Berry）、埃里克·蔡森（Eric Chaisson）、大卫·克里斯蒂安、吉姆·坎宁安、托德·邓肯（Todd Duncan）、丹尼斯·弗林（Dennis Flynn）、鲁斯·格内特（Russ Genet）、凯尔·赫曼（Kyle Herman）、吉姆·麦卡利斯特（Jim MacAllister）、比尔·麦克尼尔（Bill McNeill）、丹·梅、劳伦·梅济（Lauren Mezey）、埃斯特·奎戴克、布莱安·司威姆、玛丽·埃弗林·塔克（Mary Evelyn Tucker）和孙岳。我并不是全盘采纳他们的意见，如果有错误，皆由我一人承担。

我要特别感谢我的两个外孙女：洛拉·基恩（Lola Keene）和鲁比·基恩（Ruby Keene），两人的年龄正合适，一个 18 岁，一个 15 岁，她俩都给我的手稿点赞。

2015年9月，旧金山新开了一所私立学校，这所学校叫作“证据学校”（Proof School），特别招收有数学天赋的学生。学校领导把大历史作为人文学的核心课程，并把我的手稿用作九年级的试用教材。我想感谢扎卡里·斯福恩特斯（Zachary Sifuentes）和奥斯汀·夏皮罗（Austin Shapiro），感谢他们的鼓励和创造力。我还想感谢洛斯加托斯高中的达米安·帕夫洛夫斯基（Damian Pawlowski）老师，学校位于加利福尼亚州的洛斯加托斯，达米安老师采用了大历史项目课程计划。他给75名学生布置了我书里的部分内容，根据所选择的课题进行研究，并精心撰写了他们的反馈。

我的出版人是宝库山出版社的凯伦·克里斯滕森（Karen Christensen），与她合作非常开心。我非常感谢她和她的工作人员——蕾切尔·克里斯滕森（Rachel Christensen）和辛迪·克鲁姆林（Cindy Crumrine），感谢她们在本书出版过程中的友好、专业和高效。

最后，我要把最深的谢意给我的第一位读者——我的丈夫杰克·罗宾斯（Jack Robbins），感谢他对我的爱和鼓励。

2016年1月

本书作者

辛西娅·斯托克斯·布朗曾在高中教授世界历史，并在加利福尼亚的多明尼克大学培训高中教师，她在这所大学里试点开设了大历史课程，该课程要求所有新生研修，辛西娅也帮助创建了大历史项目。她是大历史通识著作《大历史：从宇宙大爆炸至今》的作者，同时她还和大卫·克里斯蒂安、克雷格·本杰明共同写作了《大历史：虚无与万物之间》。她是国际大历史协会的创始人之一，同时也是该协会下设的Origins出版社的副主编。

专有名词

A

吸积 Accretion	较小体积的物体（小行星）相互碰撞粘连形成体积较大的行星的过程。
适应 Adaptation	生物体为适应环境变化而一代代地发生变化的能力。
农业 Agriculture	人类通过控制植物、动物和地形的方法来利用环境以增加自身获得的能量的方式。动植物的驯化是一种双向的相互作用方式，人类可以控制动植物的繁殖。
艾滋病 AIDS	艾滋病是“获得性免疫缺陷综合征”的简称，于1982年首次被命名。一种名为HIV（人类免疫缺陷病毒）的病毒可以引发艾滋病。HIV可以在人体免疫系统细胞内增殖，降低人体免疫系统对抗其他疾病的能力。
藻类 Algae	指某些在水中或潮湿的地方生长的体内含叶绿素的生物。浮游生物和藻类层均属藻类。
氨基酸 Amino acids	是形成蛋白质结构单元的分子链。20种不同种类的氨基酸可以组合成人体内所有的蛋白质。
人类世 Anthropocene	该名称指的是人类成为主导力量、塑造全球进程的时期。具体起始时间仍在讨论之中。

反粒子
Antiparticle
除质量相同之外，一个粒子的其他特征均与另一个粒子相反。比如，电子的反粒子是正电子，正电子带正电荷。当一个粒子遇到其反粒子时，两者相互“湮灭”，且质量转换为能量。

人工智能
AI（Artificial intelligence）
软件可以使电脑运行需要人类智能才能完成的任务，例如视觉感应、语音识别、决策制定以及将一种语言翻译为另一种语言。

小行星
Asteroids
指的是太空中的物质块。目前，小行星主要分布在火星和木星之间或是冥王星以外的轨道上。小行星分为 2 类——彗星和流星。彗星大多是冰冻的冰块，而流星则大多是岩石碎片。

原子
Atoms
原子是物质的结构单元，每个原子含有 3 类较小的粒子——位于原子核中的质子和中子，以及在原子核周围的轨道上运转的一个或若干电子。这些较小的粒子是由更小的粒子组成的。

元素的原子序数
Atomic number of an element
指的是某个原子的原子核内的质子数。

南方古猿
Australopithecus
这一术语指的是距今 450 万—250 万年前的人类骨骼。其意为“南方的猿类”，因为它是南非发现最早的化石。

B

宇宙大爆炸
Big Bang
该理论认为宇宙间的一切事物均是由一个奇点演变而来的，这一奇点于 138.2 亿年前发生大爆炸，爆炸过程持续几百万年。这是科学家对于宇宙起源的最佳猜想。这一想法于 20 世纪 30 年代提出，20 世纪 60 年代时，该理论成了现代宇宙学的中心思想。

大历史
Big History

从宇宙大爆炸时期到可能未来期间的过去和现在的大事件的集合。大历史以经验实证和学术解释为基础，其中囊括了天文学、物理学、化学、地质学和生物学以及社会科学与人文科学等主要学科的基本知识。

直立行走
Bipedalism

直立行走指的是依靠两条腿站立、行走的能力，这是人类为适应生存环境而做出的第一个改变。

C

寒武纪生命大爆发
Cambrian explosion

这段时间可以追溯至约 5.5 亿—5 亿年前。雪球地球时期，地表呈冰冻状态，之后随着地球逐渐变暖，生物体的数量逐渐增多。

资本主义
Capitalism

公元 1500 年后，各国将经济增长定为国家主要目标。这一术语用于描述这一时期的发展。政府通过设立法律和条例、建立财政系统、投资诸如公路和铁路这样的基础设施等措施来鼓励经济增长，但不取代私营企业家的角色。

环境承载力
Carrying capacity

该词汇源于生物学，其意为在环境不枯竭或退化的情况下，该环境能够持续供养的所有生物的最大数量。超过环境承载力的增长称为“超量”。

化学分化
Chemical differentiation

地球上的元素在早期地球的热量中按照密度进行分类排序的过程。铁或镍等较重的元素沉到中心。较轻的元素聚集在中间，最轻的元素则上升至表面。这就形成了地球上的分层：内部是固体核心，外部是液体核心，地幔、大陆地壳、海洋地壳和大气。

叶绿素
Chlorophyll

它是植物体内负责吸收光的绿色物质，可以提供将二氧化碳和水转换成碳水化合物的能量。叶绿素可以吸收光中的红波和蓝波，可反射绿波。

城市
City

这是一处由成百上千的人类所形成的密集聚居地，依靠周围的农业进行发展。城市可以分为专门占领地城市和等级城市，其中统治者、牧师、贵族和学者占人口总数的 10%。

文明
Civilization

该词源于拉丁词“属于一座城市的”。通常用于表明某些群体比其他群体更为高级或先进，但是大历史表明，文明不是更为先进，而只是变得更加复杂，这是因为文明精英们掌控了更多的能量和资源。世界上的文明有许多共同的特点，包括密集的人口、书法、贸易、国家规则、常备军、强制赋税、频发的战事、奴隶制和父权制。

罗马俱乐部
Club of Rome

它于 1968 年建于罗马，是由一群关心世界共同未来的世界公民建立的。该组织呼吁人们关注地球环境承载力，并于 1972 年发表报告《增长的极限——罗马俱乐部关于人类困境的报告》。

群体学习
Collective learning

这也许是智人最为显著的特点，它指的是我们学习使用语言进行准确的知识交流的能力，这些知识是一代代人类积累遗传下来的。

哥伦布大交换
Columbian Exchange

这是根据克里斯托弗·哥伦布的名字命名的。公元（基督纪元）1492 年，他从欧洲航行到了美洲，将两者连接了起来。从此之后，东西半球的人们就开始了信息、植物、动物、疾病和产品的大交换。

化合
Compound

多种元素的原子结合在一起的结果。比如，水（H_2O）是由 2 个氢原子和 1 个氧原子结合在一起形成的。

孔子（孔夫子）
Confucius（Kong Fuzi）

他是一位公元前 551—前 479 年生活在中国的没落贵族。他教导人们重视家庭价值的良性教育，认为这是产生德行高尚的领导者和良好政府的关键。

星座
Constellation
一群固定数量的恒星任意形成的一个群组。

偶发事件
Contingency
指的是某些随机发生的事件或是意料之外的可能、意外或偶然事件。

宇宙背景辐射
CBR（Cosmic background radiation）
指的是宇宙中随处都有的能量较低的射线或光，它们产生于宇宙大爆炸后380,000年，那时宇宙从大爆炸中逐渐冷却下来，温度降低，适合形成原子，光（光子）可以在宇宙空间中自由移动。有时又叫作“宇宙微波背景”（CMB）。

宇宙学
Cosmology
它指的是一种关于宇宙历史和演进的理论、哲学或解释。

D

暗能量
Dark energy
这是一种未知的事物，可能是一种反重力。其中可能蕴含着远比我们看到的更多的能量。

暗物质
Dark matter
这是一种未知的事物，可能有助于星系的形成。与可见的物质相比，黑暗的、不可见的物质实则更多。

脱氧核糖核酸
DNA（deoxyribonucleic acid）
活细胞内的双莲核酸，其中携带有如何维持和繁殖生物体的结构。

德雷克方程
Drake equation
这是弗兰克·德雷克于1961年发明的一项数学公式，用于推断发现外星智能生命的统计概率。其结果取决于带入公式的预测数目。

E

地球
Earth
它是太阳的第3颗行星，四大岩态行星之一，地球上有适合生物体出现的环境。

地球系统
Earth system

原子在地球的所有区域——大气圈、生物圈、水圈、岩石圈、地壳、地幔和地心进行生物化学循环的过程。

生态学
Ecology

它指的是生物学和地球科学的交叉学科，其中包括对生物与其生存环境之间的相互作用的研究。

电磁学
Electromagnetism

电磁是四大基本力之一，它研究的是电力和磁力在空间移动时的相互作用。

电子
Electrons

原子中绕原子核在电子云中运转的粒子。带负电荷的电子不如质子和中子的质量大，前者的质量几乎仅为后两者质量的1/2000。为使原子呈中性，轨道上电子的数量必须与原子核中的质子数相同。当电子与质子数量不同时，原子便成了离子。（参照“离子”）

元素
Element

指的是由同一种原子形成的纯净物，不含其他原子。元素不可通过化学方法进行分解。

紧急情况
Emergence

指的是一种复杂实体的属性，它不存在于其自身组成部分中且不可预测。例如，气状云层可以产生星星或水中的化学物质可以产生生物体。

经验知识
Empirical knowledge

通过实验或观察获得的知识。

能量
Energy

指的是可以移动或塑造物体的各种力量。能量的4种主要形式是重力、电磁力以及原子水平上的强力和弱力。

能量转换
Energy transition

指的是全球经济的大规模重组，即从煤炭和石油的经营模式转换到可再生能源（如风能和太阳能）驱动的经营模式。

启蒙运动 Enlightenment	指的是欧洲历史上从 17 世纪 50 年代到 18 世纪 80 年代的这段时间，当时的学者们开始研究可观测的世界，使用新式器具找寻经验性证据，这段历史时期的人们推崇逻辑与理性。
真核生物 Eukaryote	指的是比原核生物体积更大、更为复杂的细胞。真核生物的细胞核位于细胞中央并受保护，其他较小的细胞内部分统称为细胞器。
进化 / 退化 Evo/Devo	这是一种集进化生物学和发育遗传学于一体的新领域，它将化石和基因共同视为其研究证据。
进化 Evolution	所有形式的生物均是通过自然选择的方式由早期形式发展而来的。人们对于进化发生的方式众说纷纭，但人们一致认为在特定情况下，基因内对生物生存有利的变异会保留下来。
太阳系外行星 Exoplanets	它是“extra solar planets”的缩写，含义为太阳系以外的行星。第一颗太阳系外行星发现于 1995 年。如今发现的此类行星已超过 2000 颗。
扩张帝国 Expanding empires	公安前 1000 年至公元 1500 年，帝国不断扩张，企图扩大自己的领土控制范围。他们也扩大了自己的交流网络及其社会和性别等级制度。他们发展自认为普遍通用的宗教，有时也会面临一段时间的领土缩减和国力衰退。
6600 万年前的灭绝 Extinction of 66 million years ago	这次大灭绝的原因部分是因为一颗直径为 6 英里的小行星在墨西哥尤卡坦半岛着陆降落而导致的。由于飞扬的尘土阻挡了太阳光照射到地球上来，因而约 70% 的物种均灭绝了。

F

出生率
Fertility rate

一般女性一生中所生育的孩子数量。出生率与死亡率有关。出生率在2.1—2.3之间时，可以实现人口更迭并保持人口数量稳定。

化石燃料
Fossil fuels

煤炭、石油和天然气——均是由掩埋在一层层的土壤和地下水之下的化石形成的。煤炭是由落树形成的，而石油和天然气则是由小型海洋生物形成的。

真菌
Fungi

指的是一群无叶无花、依靠分解和吸收有机物质而生存的生物体。此类生物包括酵母、霉菌（单细胞生物体）、蘑菇和伞菌科菌（多细胞生物体）。

G

盖亚假说
Gaia hypothesis

指的是英国大气化学家詹姆斯·拉夫洛克的假说，该假说认为地球上的生命可以为其自身的生存创造和保持环境条件。科学家们对地球系统进行了相关研究，以证明此假说的正确性。

银河年
Galactic year

指的是太阳及其行星绕着银河系中心公转一周的时间，约为2.25亿年。

星系
Galaxy

指的是由成百上千颗星星组成的星群，这些星星通过引力相互吸引束缚，散落地分布在广袤、几近空洞的宇宙空间中。星系包括气状星云和灰尘，周围环绕着一圈称为“暗物质”的物质。星系看上去似乎以位于中间位置的黑洞为中心，通常外形为螺旋形。星系存在于星群中，约有2000万光年之长，有些超星系可达5亿光年之长。

气态行星
Gaseous planets

太阳系外层区域有 4 颗行星，分别是木星、土星、天王星和海王星。它们均由冷冻气体形成，含有较重的金属核心。

基因工程
Genetic engineering

指的是替换 DNA 并进行胚胎选择的技术。该技术的支持者称，如果此技术应用于人类，可以消除基因疾病，创造更加有魅力而又聪慧的人类。

吉尔伽美什
Gilgamesh

指的是公元前 2800—前 2500 年期间，美索不达米亚的一位统治者。他的故事记录在人们知道的最早的书面文学作品《吉尔伽美什史诗》中。最早的内容可追溯至公元前 2100 年。这个故事讲述的是全人类一致关心的几个问题：城市生活与狩猎、采集生活，对死亡的哀悼，对神灵的反抗和破坏环境的罪恶。

全球化
Globalization

指的是全球贸易和交流网络不断扩大，直至覆盖整个世界的过程。

金发女孩条件
Goldilocks conditions

科学家使用这一术语来描述刚好适合新事物产生的情况。“金发女孩”是欧洲童话故事《金发女孩与三只小熊》里的小女孩。另一个意为“恰好”的词 optimal 与之意义相同。

引力
Gravity

指的是一种吸引物体的力。两个物体质量越大，两者靠近时产生的引力越大。携带引力的粒子还未发现，但科学家将其命名为“重力”。因此艾萨克·牛顿提出了万有引力定律：任何两个物体之间都有相互吸引力，这个力的大小与各个物体的质量成正比，与它们之间距离的平方成反比。

温室效应
Greenhouse effect

该术语用于描述地球上的全球变暖现象。人类燃烧化石燃料导致大气中的二氧化碳和其他微量气体增加，因而热量无法越过大气辐射发散到太空中。因此，地球温度升高，就像是在温室里种植植物一样。

H

宜居带
Habitable zone

星系中可能会有生物生存的区域——该区域距离星系中心不会很近，因为中心位置的超新星可能会毁灭植物；也不会距离中心位置很远，因为那里超新星数量极少，无法通过超新星爆发产生创造生命必需的元素。

汉朝
Han dynasty

公元前 210 年至公元 220 年，中国统治者实行官僚体制，开始将儒家思想作为政府官员的核心训练。

氦
Helium

它是除氢外最简单的原子，原子核中含 2 个质子和 2 个中子，核外轨道上有 2 个电子。

人族
Hominin

该新术语代替了“人科”（hominid）这一术语，用于指自人类共同祖先黑猩猩出现后的所有人类物种形式。第一类人族出现于 500 万至 800 万年前，其中包括了很多不同的物种，但只有一类保留至今——智人。

直立人
Homo erectus

字面意思为“直立的人”。这是 180 万年前出现的一类人族物种，其大脑约为智人大脑体积的 70%。他们学会了如何使用火，也是首批离开非洲的人族。

智人
Homo sapiens

字面意思为“了解知识或聪明的人”。智人是我们的祖先，出现于约 20 万年前的非洲某地，后来逐渐成了唯一生存下来的人族。

氢
Hydrogen

最简单的原子，由 1 个质子和 1 个电子构成，没有中子。

氢弹
Hydrogen bomb

爆炸时，氢弹内部原子分裂，产生热量，在热量作用下，重型氢聚变成氦。原子弹产生核裂变，而氢弹则产生核聚变，但氢弹爆炸需由原子爆炸点燃。美国科学家于 1945 年 7 月 16 日，在新墨西哥州阿拉莫戈多（Almagordo）引爆了第一颗原子弹。1952 年 11 月 1 日，又在太平洋上一个名为埃尼威托克（Enewetak）的珊瑚岛上，引爆了第一颗氢弹。

I

渐进复杂性
Increasing complexity

一种假说，在最佳条件下，能量流动增加，形成一种特定的结构，结构中成分越多，事物就会变得越来越复杂。

工业革命
Industrial Revolution

始于 18 世纪后期的英国，是矿物燃料能源取代人力和畜力之后的、波及制造、交通和通讯等行业的广泛的社会变革。

离子
Ion

获得或失去电子的原子。因此，电子的数量与质子的数量并不相同。带正电荷或负电荷，与其他相反电荷形成离子键。

同位素
Isotope

同一元素的不同原子，其原子核中的中子数不一定相同，这类元素互为同位素。随着时间流逝，有些同位素不断失去“神经元”，这种现象称之为“放射性”。

L

拉尼亚凯亚
Laniakea

超星系团，其中包括约 100,000 多个星系，面积达 520 光年，银河系即其中之一。

生物
Life

由细胞组成的生物体，通过新陈代谢从周围摄取能量，一代又一代的繁殖过程中不断变化，以适应其生活环境。

光
Light

一种不可思议的电磁能，既没有质量，也没有电荷。其粒子称为光子，以波的方式用宇宙中最快的速度传播，速度可达 300,000 千米（186,000 英里）/ 每秒。

光年
Light-year

光（光子）一年的传播距离——约 9.6 万亿千米（6 万亿英里）。除太阳之外，离地球最近的行星，距离地球为 4.24 光年，约 40 万亿千米（25 万亿英里）。

卢卡
LUCA

第一个活细胞，最后一个公认的共同祖先，其他所有的生物体即由此繁衍而来，用的是相同的遗传密码。

M

麦哲伦交换
Magellan Exchange

从 1519 到 1522 年，西班牙航海家费迪南·麦哲伦（1480—1521）通过航行将美洲和亚洲连接起来，此后，两个半球的人们开始交换思想、植物、动物、疾病、自然资源和工业产品。

马尔萨斯周期
Malthusian cycles

以英国牧师、经济学家托马斯·马尔萨斯（1766—1834）之名命名。马尔萨斯曾提出：人口增长会快于粮食供应，最终由于食物缺乏，导致人口数量下降。人口膨胀的循环（周期）随之而来的是危机、战争和人口减少，尤其在帝国扩张时期，人口减少尤为明显。

哺乳动物
Mammals

温血脊椎动物，体表被毛，分泌乳汁喂养幼崽，通常幼崽一生下来就是有生气的。

质量
Mass

物质的量的量度。通过计算原子的核中所含的质子和中子的数量得出。质量不是重量，重量是质量对引力的反应。比如说，在地球和月球上，你的质量是一样的，但重量则不相同，因为月球上的引力要比地球上的引力小很多。

集群灭绝 Mass extinctions	物种大量死亡的时期。根据化石记录，地球上的生物经历了很多次集群灭绝事件，有些比重甚至达到了现存物种的90%，一些在30%左右。从5.5亿年前到现在，地质学家计算得出共发生了5次重要的集群灭绝，并且认为地球现在正经历着第6次集群灭绝。
物质 Matter	占据空间、具有质量的实体。高温下，物质和能量是可互换的。
形而上学 Metaphysics	从字面来看，是指“超越物理之上”，通常使人联想到“超自然的”。再者，“形而上学”指的是哲学的一个分支，旨在解释现实的本质。这两个含义看似混乱、互相矛盾。
米兰科维奇循环 Milankovitch Cycles	其他行星距离地球远近导致的地球轨道、自转轴倾斜角度和地轴摆动的周期性变化。为塞尔维亚天文学家米卢廷·米兰科维奇（1879—1958）首次发现，遂以他的名字命名。
新陈代谢 Metabolism	生物体通过细胞内的化学过程，使用周围的物质和能量。新陈代谢为生物体所特有。
银河系 Milky Way galaxy	我们的恒星——太阳所在的星系。银河系呈旋涡状，直径约为10万光年，估计约有2000到4000亿颗恒星。
分子 Molecule	分子由2个及以上的相同元素的原子构成。
月球的形成 Moon, the formation of	根据理论，体积约为早期地球一半的物质团块与地球相撞，撞掉了地球上层的一部分。引力将这些物质控制在绕地球旋转的轨道内，起初距地球很近，后来离地球慢慢远去。

变异 Mutation	DNA 内基因的变化，原因包括：复制 DNA 时出错，X 射线或化学成分的损害，以及人为的基因工程等。

N

民族国家 Nation-state	公民享有权力，议会由公民选举或部分替代、由个人统治的政府形式。与被取代的君主制相比，民族国家赋予公民更多的权力，同时也提供更多的服务。
自然选择 Natural selection	生物体适应生存环境的过程。基因发生突变，使得生物体能够在特定环境中生存和繁衍，而且将会世代相传，最终整个族群都具有这些变异。
原子核 Nucleus	每个原子内部的核心部分，包括质子和中子。
中子 Neutron	原子核的两大主要成分之一，另一成分是质子。中子的质量比质子稍大，但无电荷。它们帮助原子核结合，计算质量时，要将中子数与质子数都计算在内。最常见的原子中，质子数和中子数基本一致。重元素中，中子数大于质子数，有利于将它们结合在一起。
中子星 Neutron stars	某些超新星爆发时，在其中心产生的恒星。在中子星核心，每个质子都与一个电子紧压在一起，变成中子。在已知宇宙中，中子星是最致密、最热的物质，拥有最强的磁场。

P

古新世—始新世极暖时期 PETM（Paleocene-Ecocene Thermal Maximum）	5600 万年前的一段时期，当时地球的平均气温迅速升高至少 5 摄氏度（41 华氏度），成千上万个物种灭绝——一次小型灭绝事件。
旧石器时代的生活 Paleolithic life	是指旧石器时代的人类生活，大约在 200,000 到 10,000 年前，主要特点是狩猎和采集。
泛大陆 Pangaea	3 亿年前，所有大陆移动到一起，形成了超大陆。大约 1.75 亿年前，开始碎裂。
范式 Paradigm	中心思想、模式或模型。
父权制 Patriarchy	男性掌控女性。男性的政府或社会组织，其中男性是一家之主，也是一个团体的首领。
光子 Photon	光的粒子。
光合作用 Photosynthesis	一些细菌被突变吸收的化学过程。在光合作用过程中，叶绿素分子吸收太阳的光子，植物消耗能量，将水和二氧化碳转换成碳水化合物，碳水化合物是植物生长和繁殖所必需的。
胎盘哺乳动物 Placental mammals	哺乳动物繁殖时，幼儿一生下来就是活的，而非存在于蛋壳之内。母体和胎儿通过胎盘交换营养和废物。
等离子 Plasma	宇宙大爆炸之后 38 万年左右、原子形成之前，早期宇宙呈现的气体状态。温度极高，带电粒子（质子和电子）无法结合。即使是现在，恒星的温度极高，主要由致密的氢和氦的等离子构成。

板块构造 Plate tectonics	大陆沿着地壳部分（称为板块）移动的成熟理论。板块下方是半熔融的物质，不断通过海底大洋脊的火山涌上来，造成板块移动。
原核生物 Prokaryote	小而简单的单细胞生物，无细胞核，内部化学成分随意流动。
脉冲星 Pulsar	迅速旋转的中子星，有规律地释放电磁辐射束。

Q

量子力学 Quantum mechanics	科学分支，致力于研究原子的行为和构成。量子力学的 2 个主要观点：世间万物都以离散的状态存在；万物在不改变的情况下无法测量。
类星体 Quasar	类似恒星的天体的缩略语。围绕黑洞的地方，大量的物质流入黑洞，释放强烈的辐射。近 20 亿年内，好像没有形成类星体。很明显，黑洞中心附近的银心气体都被黑洞吸收了。

R

稀土元素 Rare Earth elements	稀土元素并非特别罕见，只是不为人熟知，如钍和镏。稀土元素不集中存在于矿床，因此不容易开采。主要用于制作计算机和手机，需要被回收。
红移 Redshift	银河系外的恒星的光通过分光镜时，其黑色线条向光谱上的红端移动。光波离我们远去时，光波频率拉长红色长波段。如果离我们越来越近，就会缩短到蓝色短波段。天文学家用红移指代遥远的恒星在离我们远去，宇宙在膨胀。
繁殖 Reproduction	生物体生育与自己相似的新生物体的能力。

岩态行星
Rocky planets

距离太阳最近的 4 颗行星，即水星、金星、地球、火星，4 颗行星的外部气体层被来自太阳的辐射和粒子侵蚀掉了。

裂谷
Rift Valley

非洲板块的裂口，从现在的埃及向东延伸至今天的莫桑比克。沿着裂谷的火山灰中保存有化石骨骼，大部分化石都证明了沿裂谷发现的古人类进化。

核糖核酸
RNA

核糖核酸——核酸单链，在转换和解读遗传信息方面，发挥关键作用。从化学方面来说，与 DNA 稍微有些区别。

S

卡拉哈里沙漠
San of the Kalahari Desert

卡拉哈里沙漠占据博茨瓦纳、纳米比亚部分地区和南非部分地区，截至大约 25 年前，生活在这里的人们依然以传统的狩猎和采集为生。桑人是一个群体性名称，指代说不同语言的 5 个人类族群。

科学方法
Scientific method

以观察、理论和检验已有的事实等相互作用为基础的获取知识的方法。观察，通过指导更多实验（修订既有理论），产生新理论。一旦观察数据和既定事实不再支持已有理论，科学家和历史学家必须愿意对原有理论做出改变。

热力学第二定律
Second law of thermodynamics

从整体来看，宇宙变得越来越无序，但在特定方面，如恒星、生物体或人类文明，则变得越来越有序。热力学第二定律是物理学的一个分支，研究热力行为和其他能量形式。依此定律来说，局域序或区域序必定伴随其他地方的无序。比如，地球生物的有序增加，不止要通过核反应堆（为太阳提供能量）产生的无序来平衡。整个地球—太阳体系的无序，也一直在增加。科学家称这一无序为“熵”。

商朝
Shang Dynasty

公元前1600年，中国第一个大国——商朝出现了，统治黄河流域两岸的中国东北部地区。

雪球地球
Snowball Earth

地球历史上大约6亿年前的某个时期，当时整个地球表面呈现冻结状态。这可能是第一个冰河时代，陆地上没有任何生命，更不用说大海里。

第6次灭绝
Sixth extinction

目前正在进行的灭绝事件，据估计，每年约有2.5万物种灭绝。是自5.5亿年前以来的第6次重大灭绝事件。

时空
Space-time

此术语表明空间和时间是不可分割的实体。时间不脱离空间存在，二者都通过物质和能量的方式相互转化。

分光镜
Spectroscope

安装在望远镜上的仪器，观察者借助分光镜能够看到来自恒星的可视光分成不同的波长。由于每种元素的原子都呈现不同的光线反应，产生各自的黑色吸收线图案，在光谱颜色中对比鲜明，天文学家由此可以断定恒星上存在什么元素。

恒星
Star

气体云受引力影响产生塌缩，导致中心的氢原子核聚变为氦原子，释放出大量的辐射能量。核心外围的氢层控制中心的爆炸，恒星能够燃烧数百万年，具体多久，取决于恒星的体积。最终，恒星燃尽所有物质后爆炸。

国家
State

公元前3000年左右出现的统治一座城市或多个城市及周边地区的区域性权力结构，人口达数百万，通常由一位统治者统治。

叠层石
Stromatolites

已经能使用阳光用作能量的单细胞生物体的叠层化石。可追溯到约34亿年前。

强力 Strong force	作用在原子核上的力，能够克服质子间的电子排斥，将原子核结合在一起。
太阳 Sun	体积中等、年代中等的恒星，有 8 颗行星绕其公转，包括我们的家园——地球，地球是太阳的第 3 颗行星。
超新星 Supernova	超新星是指某个超级巨大的恒星在生命末期发生的剧烈爆炸。随着超新星坍缩，温度高到能够将所有元素合成为铀和钚，被吐入太空中，成为未来恒星的构成部分。一连几天，超新星释放的能量，比整个星系的能量都多。

T

管状海绵 Tube sponges	简单的多细胞生物，体型为圆柱形，可达 1.5 米（5 英尺）高。它们的体内长满了水能流过的管道。不停流经的水提供食物、氧气，排放废弃物。
临界点 Threshold	不同时期之间的转换点，有新的、更复杂的事物出现。此术语是一种修辞法，在宇宙历史中没有真正的临界点，是人类创造的。
20 世纪 Twentieth century	1900—1999 年之间的一百年，全球人口增长了近 4 倍，全球经济增长了 14 倍，能源使用增长了 16 倍，全球人口平均寿命从 31 岁延长到 66 岁，创造了人类历史上前所未有的纪录。

U

乌鲁克 Uruk	出现于大约公元前 3500 年，可能是世界上出现的首个城市。位于现今伊拉克境内的幼发拉底河岸边。

V

脊椎动物
Vertebrates

具有骨骼脊柱的动物，出现于约 5 亿年前。

病毒
Virus

蛋白质包裹的、不再受细胞控制的遗传物质，界于有生命和无生命之间。病毒能够进入宿主细胞的细胞核，控制细胞。

W

弱力
Weak force

仅在原子核活跃的力，负责相互作用，如原子核的放射性衰变。

万维网
World Wide Web

通常简称为“网”。基于互联网的信息系统，允许通过超文本链接将文档连接到其他文档。这使用户能够通过从一个文档移动到另一个文档来搜索信息。可以通过 Web 浏览器、火狐、谷歌浏览器或 Safari 等软件应用程序访问。1989 年，英国物理学家蒂姆·伯纳斯·李发明了万维网，在 1990 年编写了首个 Web 浏览器。

Z

周朝
Zhou Dynasty

中国古代王朝，公元前 1054 年统治中国，国家版图向西、向南扩张到长江，成为帝国。